Pierre Raufast

La fractale
des raviolis

Gallimard

Né en 1973 à Marseille, Pierre Raufast est un ingénieur diplômé de l'École des mines de Nancy. Il vit et travaille à Clermont-Ferrand.

Pour Nancy et pour Jeanne

« Aime-nous noirs, chacun nous aimera blanc. »

NICOLAÏ GOGOL,
Les âmes mortes

PAR INADVERTANCE

« Je suis désolé, ma chérie, je l'ai sautée par inadvertance. »

Je comprends qu'un homme puisse sauter une femme par dépit, par vengeance, par pitié, par compassion, par désœuvrement, par curiosité, par habitude, par excitation, par intérêt, par gourmandise, par nécessité, par charité, et même parfois par amour. Par inadvertance, ça non. Pourtant, ce substantif vint spontanément à l'esprit de Marc, lorsque je le pris sur le fait avec sa maîtresse.

Définition d'« inadvertance » : *défaut accidentel d'attention, manque d'application (à quelque chose que l'on fait)*.

Faut-il le dire ? Quand j'ouvris cette porte, ce que je vis n'avait rien d'un manque d'application. Bien au contraire. Il s'agissait d'un excès de zèle érotique caractérisé. En tout cas, le porc qui vit à mes côtés ne m'a pas sautée avec autant d'inadvertance depuis longtemps…

À la définition, le dictionnaire accolait une citation de Martin du Gard : « *Antoine ne voulait pas se laisser distraire une seconde de cette lutte pressante qu'il menait contre la mort. La moindre inadvertance, et ce souffle vacillant pouvait s'évanouir.* » Cela faisait déjà un bout de temps, chez moi, que le souffle vacillant menaçait de s'évanouir. Plusieurs années sans doute. Cette inadvertance-là fut de trop et déclencha tout le reste.

LE PLAT DE RAVIOLIS

Marc et moi étions mariés depuis plus de dix ans. À ma connaissance, pas une seule année il ne fut fidèle, y compris l'année des fiançailles. Sans compter, avant cela, les années de flirt au lycée.

Quand Jupiter s'envoyait une belle mortelle, écrit Ovide, il se métamorphosait en taureau ou transformait la jouvencelle en plante verte. Délicate attention, destinée seulement à cacher son adultère aux regards de Junon, sa terrible et divine épouse.

D'année en année, progressivement, Marc m'a métamorphosée en bonne poire.

J'aurais dû prendre cette décision beaucoup plus tôt.

Mais tuer son premier amour – fût-il le plus abject des êtres – mérite toujours un temps de réflexion, d'acceptation et de préparation. Ne pas le rater. Ne pas être soupçonnée. Ne pas perdre l'assurance-vie.

Il me fallut plusieurs mois pour trouver un plan sûr, garantissant ces trois points.

Au début, je me suis cassé la tête sur la question du cadavre. Où cacher le corps ? Les solutions fournies par les romans policiers me semblaient trop compliquées.

J'avais décidé d'attendre le prochain enterrement qui aurait lieu près de chez nous. Alors, je tuerais Marc. Je viendrais le soir sur la tombe toute fraîche. Je la rouvrirais. J'y ajouterais son cadavre en petit complément. Qui aurait l'idée de chercher un mort dans un cimetière ?

Entre nous, je suis déjà incapable de creuser un trou de cinq centimètres pour planter des géraniums. Rouvrir une tombe en pleine nuit me sembla trop ambitieux. Je me décidai pour un plan simple, sans pioche ni pelle. Il fallait empoisonner Marc tout naturellement. Lui faire avaler à son insu de la digitale pourpre mélangée à des herbes de Provence.

La digitale pourpre est une plante banale, dans notre région. Elle a de jolies clochettes violettes recouvertes de digitaline. Cette substance, en fonction du dosage, ralentit le cœur ou provoque un arrêt cardiaque.

Principale difficulté du scénario : trouver une excuse qui me dédouanerait lors de l'autopsie. J'optai pour une combinaison de nourriture et de football. Revenir aux fondamentaux qui gouvernent nos hommes est toujours la solution la plus simple et la plus efficace.

Marc raffolait des raviolis que lui faisait sa défunte mère. Comme toutes les épouses, je renâclais à cuisiner les mêmes plats que ma belle-mère. Ce jour-là, je fis exception, à sa grande joie.

Le matin même, nous étions allés au marché. Je m'étais approchée d'un Marseillais qui vendait ses petits sacs d'herbes de Provence. Je connaissais Marc. À la vue du bob ridicule du vendeur – blasonné OM –, il allait engager la conversation sur ce mythique club de foot olympien. Bingo! Sans le savoir, Marc devint l'alibi de son propre assassinat. Tous les commerçants présents témoigneraient l'avoir vu discuter avec animation puis choisir son pochon d'herbes, gage de la fraternité virile unissant les amateurs de ballon rond. Victime jusqu'à la mort de ses basses pulsions masculines.

Les raviolis étaient prêts depuis près d'une heure. Ne restait qu'à réchauffer le plat et passer à table. Seul écart à la recette familiale, j'avais ajouté une branche de persil aux deux tiers du plat. Elle distinguait des autres la part « digitaline ».

J'avais laissé sur mon plan de travail le sachet ouvert, bien en évidence. La police ne manquerait pas de faire le lien avec l'empoisonnement de

Marc. Elle se retournerait naturellement vers le Marseillais. Vu l'amateurisme de son affaire (paiement en liquide, pas d'inscription au registre des commerçants, bob ridicule), l'os serait beau à ronger.

Midi un quart. Quelqu'un sonna. Marc ouvrit ; notre voisine apparut, essoufflée, portant son plus jeune fils dans les bras, tenant l'autre par la main.

« Enzo est tombé sur la tête, il est devenu tout blanc et ne parle plus. Je l'emmène à l'hôpital. Pouvez-vous garder Théo ?

— Bien sûr, répondit Marc. On va même le faire manger. Ma femme vient de nous préparer des raviolis. Tu vas te régaler, bonhomme.

— Merci, je file vite, je vous tiens au courant... »

La scène ne dura que quelques secondes. Théo entra. Marc lui passa la main dans les cheveux d'un air satisfait, répétant : « Tu vas te régaler, bonhomme. »

Abasourdie, je restai devant la porte, contrariée dans mon élan criminel. Que faire ? Marc partagerait certainement sa part avec le gamin. Vu la dose de digitaline, trois raviolis à peine suffiraient à tuer cet enfant de cinq ans. En plus, Marc ne mourrait pas. La police arriverait. On devrait aller à l'hôpital. Que dire à la mère ?

Un fond d'humanité refit surface. Non, cet enfant ne devait pas mourir, il n'avait rien à voir avec mes problèmes. Je retournai dans la cuisine. Faire tomber le plat par terre puis inviter tout le monde à la pizzeria pour réparer ma bêtise. Voilà ce que je devais faire.

Horreur.

Marc était devant la gazinière. Il réchauffait fièrement les raviolis dans une grande casserole.

« Regarde, ma chérie, j'ai tout mis à réchauffer. Bonhomme, tu vas vraiment te régaler ! »

J'aurais voulu le tuer. C'est le cas de le dire. Pour une fois que ce connard mettait le pied dans ma cuisine, c'était pour gâcher mon plan diabolique. Les salauds ont la vie dure. Vite, trouver une solution. J'avais peut-être encore deux minutes avant que mon stupide mari porte à table cette casserole, dont il tenait fermement le manche et serve le petit Théo qui nous regardait avec reconnaissance. Tuer un homme est une tâche difficile. Laisser tuer un enfant innocent est insurmontable. Vite, une idée ! Hélas !

Je ne suis pas douée pour les prises de décision rapides. Mon père l'était. Un self-mademan. Il a bâti son entreprise à force de volonté. C'est sans doute pour cela que je l'ai admiré durant toute mon enfance. Sans parler de l'épisode Pussemange...

PUSSEMANGE

Mon père s'appelait Thomas, comme mon grand-père. Il avait une force mentale incroyable : ne doutant jamais de lui, il était capable de prendre une décision sur des sujets complexes en un clin d'œil.

Embauché à seize ans comme apprenti, il avait gravi tous les échelons d'une entreprise de maçonnerie, jusqu'à en reprendre les rênes à l'âge de trente-deux ans. Sa capacité de travail était énorme. Un bloc, un roc. Mon père, mon héros.

Sous sa direction, la «boîte», comme il l'appelait, se développa sans traîner. Elle compta rapidement trois cents employés, devenant ainsi la plus grosse entreprise de maçonnerie du département.

J'avais tout juste dix-neuf ans quand il gagna un énorme contrat en Belgique. Je faisais alors des études de droit sans grande passion à l'université de Charleville-Mézières. J'avais quitté le domicile de mes parents un an plus tôt et je goûtais à cette nouvelle liberté davantage qu'aux joies du droit pénal.

Mais la vie estudiantine coûtait cher, d'autant plus que mes parents, sans doute pour me contraindre au travail, refusaient que je prenne une colocation. L'argent qu'ils me donnaient passait rapidement dans le loyer, la nourriture et le strict minimum vestimentaire. Comme tout homme qui connaît la valeur du travail, mon père renâclait à me verser la rente que notre statut social aurait justifiée.

Les quatre premiers mois de ma première année, je vécus chichement. Je sortais peu. Cela me frustrait et j'en voulais à mon père de rationner ainsi ma toute nouvelle liberté. Comme toutes les filles de mon âge, j'avais envie de m'amuser, de plaire, de vivre. Cela nécessitait un budget.

Entraînée par une amie de seconde année, Stéphanie, je travaillais ponctuellement dans un bar à hôtesses, le Pussycat, de l'autre côté de la frontière belge, à Pussemange. Le contrat était simple : le propriétaire ne nous payait pas, mais nous avions trente pour cent sur toutes les consommations des clients. Il fermait les yeux sur les petits extras que quelques habitués nous demandaient. Que les choses soient bien claires : je n'étais pas une prostituée ou une sorte d'escort-girl. Juste une étudiante qui acceptait, uniquement avec les hommes cour-

tois, d'alléger leur corps et leur souffrance par
quelques artifices manuels ou buccaux. Nous
demandions de quarante à quatre-vingts euros
pour ces services de fin de soirée. En ne travaillant
qu'un ou deux soirs par semaine, nous avions de
quoi agrémenter les autres jours. À condition de ne
pas trop réfléchir à nos actes, la vie était somme
toute agréable.

Un soir de janvier, je papotais avec Stéphanie,
assise sur un de ces hauts tabourets de bar qui
permettent d'exhiber les jambes. Je vis rentrer un
groupe d'hommes d'affaires, nos premiers clients
de la soirée. Stupeur ! Mon père s'y trouvait, en
grande discussion avec un barbu ventripotent :
un notable belge avec qui il négociait un contrat.
Stéphanie m'avait expliqué que, dans certains
milieux, la semence avait remplacé l'échange de
sang, ciment de la confiance et de la fraternité
quelque cinq cents ans plus tôt. Les cinq hommes
s'installèrent bruyamment dans un coin sombre
du bar. Le barbu, familier des lieux, se tourna
vers le barman et l'apostropha : « Dude, cinq pres-
sions ! »
  Pendant que le serveur s'exécutait, Stéphanie
se remit du rouge à lèvres. Elle se tourna vers
moi, résignée : « Allez, poulette, je crois qu'il faut
qu'on y aille. » Je la regardai, glacée d'horreur.
Mon père, ici. M'avait-il vue ? Qu'allait-il penser ? Pouvais-je encore m'enfuir ?

Trop tard. Il m'avait repérée et me fixait intensément, comme s'il avait encore un doute. Comme si la lumière tamisée l'empêchait de reconnaître sa fille en tenue si légère. Pourtant, mes jambes croisées sur le tabouret, ma jarretière visible, ma petite jupe plissée et mon caraco violet ne laissaient aucun doute sur la raison de ma présence sur les lieux.

Je n'eus pas le temps de m'attarder davantage. Déjà Stéphanie me tirait par le bras et nous emmenait vers le groupe.

Elle se pencha pour leur parler et accessoirement pour dévoiler un peu plus sa généreuse poitrine.

« Je m'appelle Linda, et voici mon amie Tracy. On peut s'asseoir avec vous ?

— Bonsoir, Mesdemoiselles », répondit le chœur libidineux des quinquas.

Je n'osais pas regarder mon père. Pourtant, il semblait naturel. Il blaguait, trinquait avec cette grosse voix qu'ont les durs entre eux quand ils se veulent importants. Le Belge était un élu municipal qui venait de signer avec mon père la construction d'une dizaine de ronds-points pour la communauté de communes. Je jouai pendant une heure mon rôle tant bien que mal. Batifoler en minijupe, face à mon père, ne fut pas le meilleur moment de ma vie.

Stéphanie-Linda ignorait tout de l'identité de nos clients. Elle commençait déjà la phase de séduction, qui nous permettrait de recueillir un peu plus que les trente pour cent. Habituée des lieux depuis deux ans, elle avait appris à distinguer des autres les mâles dominants dont il faut flatter l'ego. Ces petits chefs pour qui les faveurs du harem sont signes de pouvoir. Elle était assise sur l'accoudoir du fauteuil, sirotant le cocktail maison. Elle excitait un peu plus les mâles en croisant et décroisant ses jambes, laissant entrevoir furtivement le Graal, abrité dans son écrin de soie rouge.

Elle caressait depuis plusieurs minutes les cheveux du Belge ventripotent, tout en me rappelant mon devoir par des froncements de sourcils discrets mais perceptibles, désignant mon père, deuxième mâle dominant. Elle se tourna vers trois comparses qui en étaient déjà à leur quatrième consommation. Ceux-là n'étaient manifestement que des seconds couteaux. Elle le leur fit comprendre d'une voix lente et volontairement explicite :

« Si ces messieurs veulent bien aller jouer au billard... Tracy et moi allons féliciter les responsables de ce beau contrat... »

Les trois gars masquèrent leur déception dans un rire gras, se levèrent avec regret, non sans jeter un dernier coup d'œil à Linda, qui s'était déjà agenouillée devant le barbu. Ils échangèrent quelques mots que je ne pus entendre.

J'étais debout. Devant mon père. Pétrifiée.

Le Belge se tourna vers lui. Lança, comme si nous étions invisibles :

« Bon, apparemment, on n'a pas notre mot à dire. Les petites ont choisi à notre place. Une blonde, après ma bière brune, ça me va ! »

Il but une gorgée, pour souligner son lamentable jeu de mots. Un peu de mousse perla sur sa barbe. Il se recala dans son fauteuil, satisfait : le gras dépassait de partout. Il reposa sa main sur la chevelure de Stéphanie et appuya légèrement. Il était bien, il était heureux, comme l'homme qui va se satisfaire. Et rota.

Mon père me regarda furtivement. Je vis dans son regard une grande concentration, une flamme vivace qui contrastait avec le corps avachi de son compagnon.

Papa, aide-moi ! pensai-je très fort, mon corps tout entier paralysé. C'est à peine si je sentis la main de Stéphanie sur mon épaule. J'obéis machinalement à cette pression et me trouvai entre les genoux de mon père. Mon décolleté ne lui laissant aucun autre choix que de plonger ses yeux brillants de colère entre mes seins.

J'entendais déjà Linda à sa besogne. Plus que quelques secondes pour agir. Pour prendre une décision. Chose curieuse, je ne pensais même pas à fuir. J'étais comme prisonnière de mon rôle. À genoux devant mon père, dans cette tenue de nymphette. Quelle conne ! Quelle humiliation !

C'est alors qu'il rapprocha son visage du mien. Il fixait ma poitrine.

Je retins mon souffle en fermant les yeux. Mon Dieu. Qu'ai-je fait? Je sentis sa main plonger entre mes deux seins. Mon cœur accéléra. Papa, que fais-tu? Le gros porc d'à côté nous observait de ses yeux mi-clos, sa main guidant mollement les mouvements de tête de mon amie. Mon père se saisit de ma médaille. Il tira légèrement sur la chaîne et me demanda d'une voix puissante: «D'où ça vient?»

Drôle de question. C'est lui qui m'avait offert ce bijou le jour de ma première communion.

Je rouvris les yeux. Je fus surprise de voir son regard dur à quelques centimètres du mien. Je sentis son haleine chargée de bière. Oui, je compris à ce moment qu'il avait quelque chose en tête pour nous sortir de ce cauchemar. Mais je ne savais pas quoi.

«Je... On me l'a offert.

— Donne-moi ça!», dit-il en criant presque.

Ma copine leva la tête, s'essuya d'un geste rapide les lèvres. Nous regarda avec inquiétude.

Sans attendre ma réponse, il tira sur la chaîne qui se brisa. Le médaillon tomba par terre. Mon père se leva brutalement du fauteuil pour le ramasser. Nous étions tous les deux à genoux. J'entendis son murmure complice: «File! Va-t'en!»

Je me redressai aussitôt et m'enfuis vers notre vestiaire.

Intrigués par ces éclats de voix, les trois joueurs de billard revenaient déjà vers les canapés. À son tour, Stéphanie-Linda se releva. Elle tira nerveusement sur sa minijupe pour la défroisser et s'excusa auprès du Belge : « Je vais voir ce qui se passe... »

Elle me rejoignit dans le vestiaire, aussi vite que ses talons aiguilles le lui permettaient...

Mon père fut alors au centre de toutes les attentions. Le barman, immobile, observait attentivement la scène de derrière son comptoir. Le barbu, interrompu en pleine gâterie, tâchait de bourrer dans son large pantalon les pans de sa chemise blanche.

« Ben alors, Thomas ? Elle t'a mordu ou quoi, la petite ? » dit-il en riant à sa propre blague.

Ce qui eut, au moins, le mérite de détendre l'atmosphère. Le barman, voyant que ses clients ne prenaient pas cet incident trop au sérieux, se remit à laver ses verres, tout en jetant des coups d'œil réguliers dans notre direction.

« Désolé, les gars », s'excusa mon père en laissant négligemment le médaillon sur la table basse. (Une pause pour sa mise en scène.)

« J'ai cru reconnaître un médaillon de la vierge Marie de Barhofk.

— De qui ?

— La vierge de Barhofk. »

Le gros barbu prit le médaillon, le scruta consciencieusement pendant quelques secondes. Silence autour de la table.

« Oui, c'est la vierge Marie. Et alors ? Qu'est-ce qu'on en a à faire ?

— Je me suis trompé. Ça change tout », expliqua mon père.

Il semblait soudain loin du bar, des fêtards, des filles. Il était ailleurs. Les autres n'y comprenaient rien.

Il poursuivit :

« À mieux y regarder, ce médaillon vient de Lourdes... De Lourdes, c'est tout, seulement de Lourdes. Ce n'est pas une reproduction de Barhofk...

— C'est quoi, cette histoire ? C'est quoi, c'est qui, Barhofk ? »

Mon père ne répondit pas tout de suite, feignant une vision et un lent retour à la réalité.

« Il faut que je vous raconte... vous devez absolument savoir... »

Le barbu se tourna vers les trois autres, perplexe. Ils ne savaient pas plus que lui quelle contenance adopter. Mon père regagna son siège d'un mouvement solennel. En cercle autour de lui, ses interlocuteurs ne pipaient mot. C'est indéniable, il les fascinait.

LES VIERGES DE BARHOFK

Barhofk était un informaticien allemand. Au milieu des années 1990, il travaillait pour un éditeur de logiciels spécialisé dans les systèmes en temps réel : du pilotage des trains à la gestion de l'électronique embarquée des voitures. C'est à cette époque que les premiers appareils photo numériques apparurent. Par chance, sa société remporta l'appel d'offres pour fournir le logiciel de l'autofocus du nouveau modèle d'une célèbre marque japonaise.

L'autofocus, ou « mise au point automatique », est la fonction qui permet de rendre nette, automatiquement, la photo. Quand l'utilisateur effleure le bouton, un programme s'exécute dans l'appareil, ajustant les oculaires jusqu'à ce que la photo soit parfaite. C'est devenu aujourd'hui un geste banal.

Docteur en mathématiques, Barhofk hérita naturellement de ce nouveau projet au sein de son département. Il ne mit pas longtemps à concocter un algorithme simple et robuste qui donna entière satisfaction à son client.

À cette époque, tout le monde pensait que la photo argentique avait encore de belles années devant elle, mais tout s'emballa à l'approche des fêtes de Noël. Ce premier modèle japonais eut un tel succès que tous les grands constructeurs d'électronique emboîtèrent le pas à la firme en début d'année suivante.

Pour rattraper leur retard, ces entreprises standardisèrent massivement. Tous les composants venaient des mêmes sous-traitants et étaient assemblés dans les mêmes usines chinoises. Seuls l'optique et le boîtier extérieur variaient d'une société à l'autre ou d'un modèle à l'autre. Marketing et design obligent.

C'est ainsi que l'algorithme développé par Barhofk et breveté mondialement par sa société fut utilisé dans la totalité des modèles de la fin des années 1990.

Barhofk était un créatif. En dehors de son travail, il aimait peindre et dessiner.

Un jour, il imagina peindre une toile impossible à prendre en photo numérique. L'autofocus ne parviendrait pas à rendre l'image nette.

Comment ?

C'est très simple. Barhofk connaissait parfaitement les limites de son propre algorithme. Son programme détectait les lignes verticales et les zones à forts contrastes pour affiner la netteté de l'image.

Quiconque a essayé de prendre en photo un ciel sans nuage a déjà fait l'expérience de ces limitations. L'appareil bloque désespérément sur une image floue.

Tromper l'appareil fut un jeu d'enfant. Il peignit à l'aquarelle un arbre composé de traits horizontaux dans des tons pastel et gradués, lissant ainsi les différences de contraste.

Sur son lieu de travail, il fit l'essai avec de nombreux appareils. Aucun d'entre eux ne réussit à rendre l'image nette : il avait gagné.

Pour donner une dimension symbolique à son idée, il décida de ne peindre que des tableaux de la vierge Marie. Il les fit sobres, simples et profondément mystiques.

Une amie afficha ses toiles dans le hall d'entrée de la bibliothèque municipale. Grâce à un bouche-à-oreille flatteur, la responsable du musée local lui proposa l'aile des expositions temporaires.

Les articles des journaux locaux furent dithyrambiques.

La vierge Marie qui ne se laissait pas
prendre en photo.

Le nouveau miracle de la vierge Marie.

*Les apparitions de la vierge Marie
ne seront désormais plus possibles.*

Le peintre magicien qui rend fous les appareils photo.

Les tableaux que vous ne verrez jamais !

En moins de trois semaines, des journalistes nationaux puis étrangers se pressèrent dans le petit musée pour voir le phénomène. Un mois plus tard, la cote de ses trois premières toiles frôla les cinquante mille francs : record de vitesse pour un artiste inconnu. Le mois suivant, ses toiles furent exposées à Paris, au musée d'Orsay, lors d'une exposition consacrée aux jeunes talents. Son nom rebondit de journal en magazine et de magazine en salon mondain. Deux mois plus tard, Barhofk démissionna de sa société et prit un agent new-yorkais.

Sur ses conseils, il ne peignit cette année-là que trois autres toiles. Toujours des vierges Marie. Il dota ses œuvres de proportions mystiques suivant les règles du nombre d'or. Sa cote dépassa les cent mille dollars par vierge.

Désormais, les Marie barhofkiennes étaient célèbres. On ne pouvait toujours les photographier qu'avec un important recul, l'appareil faisant la mise au point sur un autre élément du décor. Les revues spécialisées délirèrent sur cette sublime absence de gros plan.

Personne n'utilisa la mise au point manuelle

d'un appareil reflex argentique : cela aurait détruit le mythe. Le marché veut des légendes vivantes pour prospérer.

Barhofk changea de vie. Cet informaticien célibataire, qui passait ses week-ends à crayonner, parcourut la Terre. Il multiplia expositions, conférences, vernissages prestigieux. Il dormit dans des palaces, fréquenta des top models. On le convia même à un gala organisé par Bill Clinton – alors président des États-Unis.

Il s'habitua vite au train de vie de la jet-set. Ces années-là, il dormit peu, but d'excellents vins, posséda des femmes sublimes.

Ce phénomène irrita les industriels de la photo. Insensibles au génie artistique, ils affirmèrent que les imphotographiables vierges Marie dépréciaient leurs appareils. Inacceptable. Au Japon comme ailleurs, personne ne doit altérer l'image de marque d'un grand groupe. Ils reprochèrent à l'éditeur de logiciels les faibles performances de son autofocus. Celui-ci reconnut ses torts et promit de travailler sur un algorithme plus efficace.

Une équipe de dix informaticiens eut comme seul objectif d'arriver à faire la mise au point sur les tableaux de Barhofk. Et la société engagea un procès contre son ancien employé. Bien que celui-ci fût l'inventeur de l'algorithme, on le poursuivit pour vol de secret industriel. On l'accusa d'avoir exploité à son compte deux brevets internationaux au mépris de la propriété intellectuelle. Il fut condamné à verser deux cent mille dollars de dommages et intérêts, avec obligation de brûler son stock de tableaux.

Avant cette condamnation, Barhofk avait vendu une vingtaine de tableaux. Comprenant qu'il n'y aurait plus d'autre toile, le marché s'envola. La cote d'une vierge de Barhofk atteignit le million de dollars.

En décembre 2000, les constructeurs sortirent des appareils dotés d'un nouvel algorithme. La mise au point fonctionna. L'excitation autour du «mystère Barhofk» retomba. Le prix de ses œuvres se maintint mais plus personne ne parla de lui, de ses vierges invisibles, ni de ses frasques aux quatre coins de la planète. Une époque était révolue. Ainsi vont les technologies, les cibles des paparazzis et les passions artistiques.

Jusqu'à l'an dernier.

Le corps de Barhofk fut retrouvé dans une chambre d'hôtel d'Amsterdam. Il avait avalé des somnifères, avant de se trancher l'oreille et le poignet avec un cutter. Lorsque la femme de ménage le découvrit, son sang avait imbibé les draps blancs. La note manuscrite retrouvée sur la table de nuit raviva les fantasmes.

D'une écriture nerveuse, Barhofk annonçait

qu'il avait percé le mystère des nouveaux autofocus. Il avait réalisé cinq médaillons à l'effigie de la vierge Marie, qui seraient impossibles à photographier, quelle que fût la génération présente ou future d'appareils.

Le gotha artistique se déchira autour de cette nouvelle affaire. Quelques critiques pensèrent qu'il s'agissait de l'ultime supercherie d'un homme dépité par l'anonymat. D'autres crurent fermement à cette nouvelle invention. La cote de ses tableaux augmenta doucement, puis se stabilisa sans que fût donnée la moindre preuve de l'éventuelle existence des mystérieux médaillons.

Jusqu'au jour – voilà deux mois à peine – où un certain Sharkey, marchand d'art en Australie, fit sensation, affirmant avoir en sa possession l'un des médaillons de Barhofk.

Conférence de presse dans un grand hôtel de Sydney. Des dizaines de journalistes internationaux s'agglutinèrent dans la salle, espérant apercevoir l'objet.

Mais rien.

Mise en scène extraordinaire. Suspens savamment entretenu par quelques gourous du marketing.

Seule fut annoncée pour le mois suivant la mise aux enchères chez Sotheby's de l'unique médaillon de la vierge de Barhofk connue. Mise à prix : cinq millions de dollars. La plaquette

d'habitude éditée pour montrer l'objet d'art
ne reproduisit qu'un cadre vide ainsi qu'une
légende : « *Sotheby's vous prie d'accepter ses excuses.
Malgré tous nos efforts, nous n'avons pas réussi à
prendre en photo le médaillon. Des présentations
seront organisées sur invitation privée. Si vous êtes
intéressé, merci de prendre rendez-vous, etc.* »

L'attente fut longue et passionnée. Beaucoup
de spécialistes jugèrent toutefois l'événement
peu crédible et soupçonnèrent une campagne
commerciale sans aucun rapport avec l'objet.
D'un autre côté, le sérieux de la maison Sotheby's pesait lourd : elle ne pouvait être complice
d'une simple opération marketing.

Les constructeurs d'appareils photo se
moquèrent de toute cette affaire, contribuant
ainsi de façon indirecte à l'agitation médiatique.
Un célèbre fabricant coréen fit placarder des
affiches en quatre par trois en plein cœur de la
City, montrant une blonde sexy qui s'exclamait :
« *Si vous n'arrivez pas à photographier un médaillon,
enlevez d'abord le cache de l'objectif !* »

Le jour de la vente, à Londres, fut mémorable.
Dans la salle rapidement comble, des centaines
d'acheteurs se connectèrent depuis les agences
Sotheby's de Paris, de New York, de Shanghai et
de Tokyo.

L'objet fut présenté devant quelques happy few

médusés. Il s'agissait d'un médaillon en argent d'à peine deux centimètres de diamètre, semblable à celui que l'on trouve pour quelques dizaines d'euros dans n'importe quelle bijouterie. Les journalistes accrédités le photographièrent. Instantanément, ces photos désespérément floues se propagèrent comme une traînée de poudre sur les réseaux sociaux.

Barhofk avait gagné son dernier pari : tromper les appareils les plus modernes.

Le médaillon fut adjugé pour seize millions de dollars à un investisseur chinois qui garda l'anonymat. En quelques minutes, ce modeste bijou était devenu une légende.

Lors de la conférence de presse qui suivit, Sharkey fut interrogé sur l'origine du médaillon. Il commença par insister sur l'aspect banal de l'objet.

« En toute franchise, rien ne permet de le distinguer d'un bijou de pacotille. Et s'il n'avait pas cette propriété étonnante, je serais ressorti de cette salle avec seize dollars, et non pas seize millions ! (Rires dans la salle.) Pour tout vous dire (il marqua une pause, dévissa la bouteille d'eau minérale placée devant lui, se servit un verre et le but, jouissant du crépitement frénétique des flashs autour de lui). Pour tout vous dire, j'ai trouvé ce médaillon dans une brocante à deux pas de chez moi. Mais personne d'autre que moi n'aurait pu le remarquer. Car, pour détecter un Barhofk, il aurait fallu le prendre en photo. Et lequel d'entre vous s'imagine photographier les millions de médaillons que l'on peut trouver autour de cette planète ? (Redoublement de rires dans la salle.)

— Mais comment avez-vous fait pour le reconnaître ? » osa un journaliste.

Sharkey se racla la gorge, haussa les sourcils et prit soudainement un ton plus sérieux.

« Je suis atteint d'une malformation congénitale et rarissime des yeux : le syndrome Sheridan, du nom de Paul Sheridan, la première personne à avoir été diagnostiquée. C'est grâce à cette malformation que ce médaillon m'a "sauté aux yeux" sur son étal ce matin-là. Une histoire de diffraction de la lumière quand la température varie. Je ne vais pas vous embêter avec des explications techniques. L'essentiel, c'est qu'il reste quatre médaillons sur cette foutue planète, et que je vous encourage tous à les chercher rapidement avant que je leur mette la main dessus ! »

Derniers rires dans l'assemblée, suivis d'applaudissements.

Aucun des journalistes présents ne connaissait l'histoire de ce Paul Sheridan auquel le marchand d'art venait de faire allusion. Ils notèrent que Sharkey avait une maladie rare lui permettant de *déceler* l'indécelable. La conférence dura encore une dizaine de minutes. On lui demanda entre

autres ce qu'il comptait faire de ses seize millions.
Puis la salle se vida. Une ou deux femmes apos-
trophèrent Sharkey à la sortie avec des proposi-
tions explicites, qu'il refusa poliment.

En vérité, les seize millions de dollars intéres-
saient peu Sharkey. Des années fastes l'avaient
mis à l'abri du besoin. Doté d'un flair légendaire,
expert en histoire de l'art, il excellait dans son
métier – vertu qui se conjuguait avec une morale
plus que douteuse en affaires. Le mois précédent,
par exemple, il avait acheté pour une bouchée de
pain à un potier de province un vase ayant appar-
tenu à Clodomir, le fils aîné de Clovis. Qu'il avait
ensuite revendu trois millions d'euros.
Son énergie était focalisée depuis dix ans sur
la quête d'un bijou de famille : un collier orné
d'un rubis dont il avait perdu la trace. D'après
ses informations, ce rubis était plus gros que le
fameux « Delong Star Ruby », cent carats, exposé
au muséum d'Histoire naturelle de New York.
Au-delà de sa valeur marchande, la taille et la
pureté supposées du rubis excitaient sa convoi-
tise. Car ce rubis était aussi la clef de voûte d'un
mystère familial…
Après des années de vaines recherches, il avait
fini par faire appel à plusieurs détectives privés.
L'un d'eux venait de l'appeler pour avancer leur
rendez-vous. Qu'avait-il donc découvert de si
extraordinaire pour anticiper la date de leur

prochaine rencontre? Ce soir-là, dans sa suite du dernier étage, cette question préoccupait Sharkey.

En se brossant les dents, il examina ses yeux dans la glace : ce syndrome de Paul Sheridan venait tout de même de lui rapporter une petite fortune. Quelle ironie, comparée au destin tragique du malheureux personnage…

L'ÉTRANGE DON
DE PAUL SHERIDAN

L'histoire de Paul Sheridan illustre parfaitement le concept de solipsisme. Comment être certain que notre conscience propre est l'unique réalité ? Comment être sûr que le monde extérieur n'est pas que représentation ? Qui peut affirmer que sa propre représentation du monde n'est pas la seule et unique vérité ?

Quand Paul naquit, personne ne remarqua de différence avec un autre bébé. Il était grassouillet, avait ce joli teint rose des nourrissons en pleine santé et réagissait ordinairement à tous les stimuli. Mais ce bébé visualisait l'infrarouge. Il percevait les choses au-delà du spectre de lumière visible.

Normalement, le rayonnement infrarouge ne se voit qu'avec un équipement électronique distinguant les écarts de température, car un corps chaud et un corps froid rayonnent différemment. Ainsi des jumelles ou des caméras infrarouges permettent-elles aux militaires de repérer un corps en pleine nuit. Lors de pandémies, dans les aéroports, on utilise de telles caméras pour détecter les arrivants fiévreux.

Difficile pour un petit garçon de visualiser la normalité. Pour Paul, tous les objets étaient multicolores. Les couleurs de la vie changeaient en fonction de la température, donc de l'heure de la journée.

Un tronc d'arbre, de couleur marron pour tout le monde, avait une nuance bleutée le matin et la perdait l'après-midi. Son biberon chaud était rouge puis devenait progressivement blanc en refroidissant. Les jours de pluie, un voile gris opacifiait le paysage. Quand quelqu'un touchait un objet, Paul voyait la rémanence rouge de ses empreintes digitales pendant plusieurs secondes. Il distinguait clairement les nuances de la palette émotionnelle de sa mère grâce aux couleurs de son visage.

C'était ainsi. Cela ne le troublait pas. Comment aurait-il pu savoir? Il voyait ainsi le monde depuis le début. C'était sa normalité à lui.

Comme tous les enfants de son âge, Paul apprit le vocabulaire sur des imagiers colorés. Chaque soir, sa mère lui montrait des dessins de chat, de girafe, de banane ou de pomme en lui faisant répéter chaque mot. Il aimait bien ces moments privilégiés. Il faisait de son mieux pour mémoriser chaque mot, même ceux compliqués comme « crocodile » ou « pantalon ». Il progressait vite. Ses parents étaient très fiers de lui.

Le jour de ses quatre ans, Paul reçut un nouvel imagier. Sa mère, qui avait des doutes depuis quelques mois, en eut la confirmation : Paul distinguait mal les nuances chromatiques.

« De quelle couleur est la banane ?

— Jaune », répondit Paul en se fiant à la photo du livre.

Mais, au goûter, quand sa mère lui tendit le fruit et reposa la même question, Paul ne sut quoi répondre. La couleur perçue le matin paraissait différente. La banane qu'il tenait maintenant dans ses mains était bariolée. Un peu de jaune, un peu d'orange, constellés de taches rouges, les traces de chaleur des doigts.

Il regarda sa mère, désemparé. Il se sentait fautif, coupable de son ignorance. Grande était sa frustration. Il aurait tant aimé lui faire plaisir, mais il ne trouvait pas de mot correspondant à ce panaché de couleurs.

« Orange ? »

La mère secoua la tête, désolée.

« Non, mon chéri, c'est jaune. La banane est jaune. Toutes les bananes sont jaunes. »

Paul ne comprenait pas cette logique. Pourquoi les noms des couleurs restaient-ils identiques alors que les teintes changeaient ?

Sa mère se voulut rassurante.

« Ce n'est pas grave, mon amour, rassure-toi, tu es encore petit, ça viendra. »

« Ça » ne vint pas.

L'inquiétude de ses parents s'accrut avec le temps. Paul jouissant d'une acuité visuelle parfaite, personne ne pensa à faire examiner ses yeux. On craignait un problème cérébral. L'IRM ne révéla rien de préoccupant.

Le petit Paul n'accusait aucun retard : sa motricité était excellente, il parlait comme tout enfant de quatre ans et ne semblait présenter aucun trouble du comportement. Cependant, il identifiait mal les couleurs, sans pour autant être daltonien. Même pour plaire à ses parents et les rasséréner – ce qu'il aurait bien voulu faire –, Paul n'arrivait pas à mettre un nom sur une couleur *changeante*. C'était comme désigner d'un seul mot le niveau d'une baignoire qui se vide. « Changeant ». Oui, c'était le seul mot qui lui venait à l'esprit.

Lorsqu'il eut sept ans, le sujet fut clos. Comme ses résultats scolaires étaient satisfaisants, ses parents, sur les conseils du pédopsychiatre, décidèrent de ne plus le tracasser.

«Ça viendra quand ça viendra», assenait sa
mère pour tenter de se convaincre.

Un jour, une exposition temporaire consacrée
aux reptiles s'installa en ville. Paul, comme beaucoup d'enfants de son âge, adorait les dinosaures,
et par extension leurs descendants : les serpents,
les iguanes ou les crocodiles. Il passait des heures
à jouer dans sa chambre avec de petits animaux
en plastique, à s'inventer des zoos extraordinaires
peuplés de bêtes féroces qu'il était le seul à pouvoir dompter. Aussi sa mère l'emmena-t-elle
naturellement à l'exposition. Qui allait changer
sa vie.

Aux deux tiers de la visite, Paul s'arrêta devant
un animal qu'il ne connaissait pas.

«C'est quoi, ça ?

— C'est un caméléon, mon chéri. Un animal
qui peut changer de couleur.»

Paul regarda sa mère, interloqué.

«Et alors ? Toi aussi tu changes de couleur,
tout le temps !»

Sa mère fronça les sourcils, s'accroupit pour
être à sa hauteur. Elle devint instantanément très
sérieuse.

«Que veux-tu dire par là ?

Quand tu es calme, quand tu es en colère
ou quand tu as froid, tu changes de couleur.

— Ah bon. Comment le sais-tu ?

— Je le vois, maman. En ce moment, tes joues deviennent toutes rouges mais ton menton reste bleu.

— Bleu ? »

Sa mère réfléchit un instant. Elle se regarda dans son miroir de poche puis sortit son tube de rouge à lèvres de son sac à main.

« Écoute-moi bien, Paul, c'est très important : de quelle couleur est ce tube ?

— Blanc, maman.

— Très bien. »

Elle serra son tube très fort dans sa main pendant une dizaine de secondes.

« Et maintenant ?

— Rouge, maman. »

Subite bouffée d'émotion. Sa mère sentit les larmes monter. Elle comprit enfin la différence dont était affublé son fils.

L'espoir fut vite déçu. Aucun cas similaire n'était répertorié dans le monde. Plusieurs spécialistes prestigieux vinrent examiner Paul. Il passa d'innombrables tests, mais on ne trouvait aucune maladie connue, ni même de symptômes référencés correspondant à cette étrange capacité. On publia des articles dans des revues médicales sur ce que l'on baptisa le « syndrome Sheridan », ou la faculté d'un être humain à voir l'infrarouge comme il voit la lumière. Une *terra incognita* de la science. Aucun traitement.

Les années passèrent. Paul devint un garçon discret et pensif, aimant rester de longs moments à dessiner et à rêver, s'émerveillant de phénomènes qu'il était le seul à pouvoir admirer.

La mort, par exemple, le fascinait. Non pas dans sa dimension philosophique ou religieuse, mais dans sa dimension chromatique. Lorsqu'il tuait un insecte, il voyait la couleur du corps changer instantanément. Caractéristique des bestioles à sang froid sans réelle inertie thermique. Quant au ver de terre, il offrait un véritable accordéon chromatique. À lui seul, il recomposait toutes les lumières de l'arc-en-ciel. Quand Paul écrasait une des extrémités entre son pouce et son index, ce bout devenait grisâtre et ce ton bistre se propageait lentement le long du corps. C'était amusant.

Deux ou trois fois, Paul essaya de tuer un chat, comme ça, pour voir. Mais la tâche se révéla difficile. L'animal, vif, parvenait toujours à s'enfuir et Paul ne réussit qu'à récolter des griffures sur les avant-bras. Les chiens l'effrayaient. Il aurait pu tenter l'expérience sur une souris ou un petit oiseau. L'occasion, cependant, ne se présenta jamais.

Il aimait particulièrement l'hiver, vers quatre heures de l'après-midi, quand le soleil commençait à décliner. Pendant l'heure d'étude, il admirait les objets de la classe changer de ton, se muer en une grande farandole de demi-teintes.

Dehors, le ciel était un feu d'artifice et sur chaque mur de maison apparaissait un kaléido-scope. Tout se passait en quelques minutes. La pénombre envahissait la ville, s'attaquait douce-ment, sereinement, aux murs chauds qui per-daient peu à peu leur teinte rouge. Des auréoles bleues surgissaient d'abord autour des portes, des vitres, puis s'élargissaient en virant au noir. L'obscurité dévorait tout comme une bête affa-mée, laissant çà et là quelques miettes de chaleur. C'était un spectacle magnifique, inconnu du commun des mortels.

Pour ces raisons, Paul exécrait la peinture, trop figée. Un jour qu'il visitait un musée avec sa classe, il entendit un couple de retraités s'enthou-siasmer devant *Les Tournesols* de Van Gogh.

« Quelle clarté ! Quelle intensité dans ces cou-leurs ! C'est tout simplement superbe ! » pérorait l'homme.

Paul les regarda avec dédain. Le monde devait être bien triste avec des yeux normaux.

À seize ans, le ministère de l'Intérieur lui demanda de participer à une nouvelle série de tests. Il s'agissait de vérifier si Paul pouvait détec-ter les mensonges lors d'interrogatoires. Le pro-tocole était simple. Derrière une vitre sans tain, Paul observait le suspect interrogé. À chaque réponse, Paul devait appuyer sur un bouton rouge s'il pensait que la personne mentait, ou un bouton vert s'il pensait qu'elle disait la vérité. Au bout de deux heures de questions-réponses, Paul avait vu juste dans tous les cas, sauf un. Bien mieux que n'importe quel détecteur de mensonges.

Comme il avait l'âge légal pour travailler, des fonctionnaires en costume sombre vinrent lui demander s'il pouvait les aider, de temps en temps. Il accepta, par curiosité. Ses parents achetèrent une nouvelle maison.

Pendant deux ans, Paul travailla pour le ministère. Tous les samedis et dimanches matin, il lui fallut confondre de nombreux criminels. Il entendit des témoignages poignants, des récits sordides. Sans doute était-ce trop pour ce jeune homme solitaire, qui n'avait personne avec qui partager ces histoires.

Au début, il faisait des cauchemars. Violeurs qui rôdent autour d'un local à poubelles ; motards qui coupent des mains pour dérober une montre. Puis il s'habitua. Il se surprit même à admirer ces caïds qui ne craignaient ni la peur, ni la loi, ni leurs parents, ni les chiens.

Ressentait-il un léger remords à les démasquer ?

Juste avant son coup de folie, Paul contribua à élucider l'énigme de « l'Arnaqueur des cimetières ».

Un mystérieux anonyme, doué d'un aplomb incroyable et capable de tromper les plus fins détecteurs de mensonges. Pour la première fois, Paul dut se rendre physiquement dans la salle d'interrogatoire afin de détecter les traces lumineuses d'émotion...

L'ARNAQUEUR
DES CIMETIÈRES

L'Arnaqueur des cimetières. Mars 2009. Deuxième journée.

« Accusé, levez-vous. »

La salle d'audience est pleine. Le journal régional a fait sa une du procès. Les plaignantes sont toutes des vieilles dames, vivant seules. Chacun pourrait reconnaître sa mère ou sa grand-mère dans telle ou telle de ces victimes.

« Vous êtes accusé d'avoir escroqué, depuis deux ans, ces cinq personnes pour un montant total d'environ deux cent quarante mille euros. Reconnaissez-vous les faits ?

— Cet argent m'a été donné légalement. Mon avocat dispose de tous les documents qui le prouvent.

— Bien sûr. Tel est l'art de l'escroc : se faire payer légalement pour un bien ou un service fictif.

— Je me suis mal exprimé. Cet argent m'a été

donné *légalement* en échange d'un service bien
réel.

— Lequel, je vous prie?

— Le rêve. La joie, la consistance des souvenirs qui meublent les journées.

— C'est bien vague...

— Toutes ces personnes sont des veuves éplo-
rées, seules au monde. Je ne suis responsable ni
de leur veuvage ni de leur solitude. Leurs
familles les ont négligées, délaissées. La faute en
incombe à leurs fils. À leurs filles. À leurs petits-
enfants. À leurs neveux – qui sais-je? Elles vivent
seules dans des appartements minables. Sans
pouvoir se balader comme autrefois, main dans
la main avec leur cher et tendre. Sans pouvoir se
rendre au parc – ne serait-ce que par peur de
glisser, de tomber et de se fracturer un os. Sans
pouvoir déguster le petit vin blanc sous la ton-
nelle ou rire dans un cinéma de quartier. Ces
simples joies-là leur sont refusées. Elles le savent.
Elles l'acceptent avec une grande dignité. Leur
seul rayon de lumière luit derrière elles, toujours
plus faible, plus tremblant. Leurs souvenirs. Le
passé. Ah! Vous me reprochez bien des choses...
Si seulement vous aviez vu cette flamme dans
leurs yeux quand je leur parlais de leur mari. De
ce héros disparu. De ses exploits. De sa superbe!
Leurs larmes devenaient des larmes de joie. Le
disparu se nimbait de gloire, de grandeur, de
mystère! Pouvez-vous imaginer à quel point ma

visite leur était précieuse? À quel point elles me
guettaient derrière leurs rideaux à carreaux?
Vous auriez dû voir avec quel soin elles prépa-
raient le thé, le café et les biscuits qui m'étaient
destinés. Auraient-elles déployé tant de soins et
de tendresse pour un vulgaire malfaiteur? Elles
étaient consentantes. Elles se dévouaient pour
moi car je leur apportais le bonheur et la joie. Je
leur rendais service, un vrai service. Cela se paie.
Donnant-donnant. Comme toute chose en ce
monde.»

Du premier rang de la salle, où se trouvent les
familles des victimes, monte un murmure de
réprobation. L'accusé se tourne vers les cinq
vieilles dames, leur adresse un furtif sourire.

«Des plaignantes, dites-vous? Se plaignent-
elles? Me reprochent-elles quelque chose? Ne
vous méprenez pas. La plainte provient de leurs
minables héritiers. (Il se tourne vers le premier
rang.) Eux! Le neveu qui ne s'occupe plus de sa
vieille tante, le fils qui se moque bien de sa
mère, la petite-fille qui a mieux à faire... Jamais
là, sauf pour lorgner sur l'héritage. Oui, ce sont
eux les monstres. Quelle honte! Voilà des mois
qu'ils les étouffent de papiers, de formulaires, de
démarches administratives, de procédures. Et
pour quoi? Pour porter plainte contre moi. Quel
tort leur ai-je fait à ces dames? Je leur ai parlé
avec enthousiasme de leur mari! Et alors?

— Et alors, c'est un abus de confiance caractérisé, alourdi d'un abus de faiblesse ! Mme Fleury, par exemple, vous a signé trois chèques de dix mille euros chacun.

— Une reconnaissance de dettes, maître. Des dettes qu'avait M. Fleury, son époux, envers mon père.

— Vous nous avez dit et redit cette fable. Le dossier en est plein. Il n'y a jamais eu de dettes ! Tout est inventé. Ce n'est qu'une de vos machinations. »

L'avocat des familles marque une longue pause.

L'Arnaqueur, expliqua-t-il, lisait le journal tous les matins, s'attachant particulièrement à la rubrique nécrologique. Il recherchait les avis d'obsèques d'anciens combattants de la Seconde Guerre mondiale ; des hommes nés aux alentours des années 1920. Il assistait aux enterrements, prenant soin d'observer la famille rassemblée. Recensait les enfants présents, les amis, les parents éloignés. Âge et statut social de la veuve. Il notait tout, jusqu'aux inscriptions fraîchement portées sur la pierre tombale. Dans le cas de M. Fleury, il avait relevé : « René Fleury : 1923-2009, un fils Jacques mort (1962-1988). Présence sur la tombe de plaque *À notre fils*, aucune *À mon frère* : Jacques était fils unique. Pas de descendant direct. » Ces informations orientaient son enquête.

Il retrouva l'avis de mobilisation de René Fleury en 1939. Il appartenait au 92ᵉ régiment d'infanterie de Clermont-Ferrand. L'Arnaqueur savait aussi beaucoup de choses sur les maquisards de « Résistance Auvergne ». Rien de plus simple que d'inventer un passé héroïque à ce René Fleury. Rien de mieux pour flatter les souvenirs de la veuve.

L'Arnaqueur se présenta donc chez Mme Fleury une semaine après l'enterrement. Lui présenta ses condoléances. Affirma avoir bien connu son mari. Intriguée, la veuve le fit entrer. Fleury... Ce nom, poursuivit l'Arnaqueur, lui avait sauté aux yeux dès qu'il avait parcouru la rubrique nécrologique. Fleury. Son père, héros de la résistance (Dieu ait son âme), lui parlait souvent d'un Fleury, jeune homme d'environ vingt ans pendant la guerre. Était-il possible que ce Fleury, cet héroïque Fleury, fût son mari ? Elle se troubla, hésita, bredouilla que son mari n'était pas résistant. Aussitôt, l'Arnaqueur sortit le grand jeu.

« Mon père parlait de M. Fleury comme de quelqu'un de très humble, de très modeste.

— Ça oui. Il n'était pas du genre à se mettre en avant.

— Longtemps après la guerre, mon père et votre époux continuaient à se voir avec d'autres anciens résistants. M. Fleury avait encore des "missions" secrètes. Je n'ai jamais trop su ce qu'il y avait derrière ce mot, mais ce groupe, j'en suis certain, fut à l'origine de l'arrestation de nombreux criminels dans la région...

— Ah bon ?

— Vous vous souvenez de l'affaire Pelletier en 1956 ?

— Non...

— Si, cherchez bien... Une petite fille retrouvée noyée vers Thiers. Une affaire épouvantable !

— Bien sûr, maintenant je m'en souviens. Quelle horreur ! Le coupable avait été arrêté à Vic-le-Comte alors qu'il tentait de s'enfuir.

— Exactement. Et c'est le réseau qui a permis son arrestation. Notamment M. Fleury !

— Non !?

— Si.

— ...

— N'avez-vous jamais remarqué que votre mari s'absentait parfois ?

— Il était chasseur.

— Chasseur ?

— Oui. Il allait de temps en temps à la chasse, mais ne rapportait presque jamais rien ! Je le taquinais souvent avec cela...

— Il ne pouvait rien rapporter, c'est évident.

— Pourquoi ?

— Mme Fleury : votre mari n'était pas à la chasse. Il était en mission spéciale pour le groupe "Résistance Auvergne".

— Oh, mon Dieu !

— Un héros, je vous l'assure… Enfin, si c'était vraiment lui…

— Je n'arrive pas à le croire. »

Pensif, l'Arnaqueur la laissa mijoter un instant avant d'ajouter :

« J'ai un carton plein de photos de mon père et de ses camarades. Avez-vous des portraits de votre mari, des photos de lui avant la guerre, pendant la guerre, et même après ? Je verrai bien si nous parlons de la même personne. »

Malgré son âge, Mme Fleury se leva prestement. Elle ouvrit le buffet du salon qui contenait les albums de famille. De beaux albums de cuir rouge, que l'Arnaqueur consulta lentement, méthodiquement, laissant la veuve suspendue à son verdict.

Il se racla la gorge, demanda :

« Puis-je avoir un verre d'eau, s'il vous plaît ?

— Où ai-je la tête ? Voulez-vous un café ou un thé ?

— De l'eau suffira. Je ne veux pas déranger.

— Vous ne me dérangez pas ! Bien au contraire.

— Un café alors, c'est très gentil. Avec un sucre. »

La vieille dame s'en fut dans la cuisine, pleine d'espoir et d'excitation. Pendant ce temps, l'Arnaqueur subtilisa quelques photos du mari.

Une fois le café bu, il prit congé.

« Je ne vous importune pas davantage, madame. J'ai vu ce que je voulais voir. Je vais consulter mes propres photos et je vous tiens au courant.

— Jeune homme, rien ne me ferait plus de plaisir… »

De retour chez lui, l'Arnaqueur numérisa la photo, puis fit sur son ordinateur plusieurs montages. Le dossier d'accusation contient deux documents : un instantané datant de 1945 montrant M. Fleury et le général de Gaulle qui se serrent la main. Un autre cliché date d'environ dix ans plus tard, lors d'une remise de médailles dans une caserne.

Quelques jours plus tard, l'Arnaqueur retourna chez la veuve.

« Asseyez-vous, cher monsieur. J'ai préparé du café et quelques biscuits secs. Avez-vous trouvé ce que vous cherchiez ?

— Je ne suis pas tout à fait certain, mais… Attendez… Tenez : celle-ci. Est-ce votre mari ? »

Elle mit ses lunettes, examina attentivement la photo.

« Oui, c'est bien lui !

— Pouvez-vous me dire de quand date cette photo, madame ?

— Je dirais vers 1960, il n'avait pas encore de cheveux blancs. Il était beau, vous ne trouvez pas ?

— Ce devait sûrement être un homme de

valeur. Cette photo a été prise à l'occasion d'une remise de la croix du combattant volontaire de la Résistance. Vous voyez, ici, ce n'est pas votre mari qui reçoit la médaille, mais le fait qu'il soit présent démontre son implication et son importance dans le réseau. »

La vieille dame émit un petit rire.

« Ça alors, mon René… Quel cachottier !

— Regardez celle-ci !

— Mon Dieu, le Général !

— Oui. Le grand Charles.

— Mais c'est bien mon René ! Oh, là, là ! »

L'émotion se fit palpable.

« Oh, là, là ! Mon René… »

Assaillie par les souvenirs, sans doute aussi par quelques regrets, elle sanglota. Son châle blanc tomba de son épaule. Galamment, l'Arnaqueur le ramassa pour le poser sur ses genoux.

« Je vous laisse, madame, j'ai un rendez-vous. Je vous promets de chercher d'autres photos. Je repasserai très vite vous voir.

— Merci, monsieur ! Merci. Vous ne pouvez pas savoir la joie que vous me faites.

— Ma plus grande joie, madame, c'est d'avoir enfin pu montrer la véritable nature de votre mari. À bientôt. »

Il attendit trois semaines avant de revenir frapper à la porte de la vieille dame.

« Entrez, je vous prie. J'ai bien reçu votre petit

mot qui parlait de documents. Je vous ai préparé un café et une tarte aux pommes.

— J'adore les tartes.

— Je n'ai parlé à personne de notre histoire, comme vous me l'avez conseillé.

— Vous avez bien fait. Si M. Fleury avait voulu que tout cela se sache, il l'aurait fait de son vivant, non ? La modestie est une rare qualité.

— Il ne m'a jamais rien dit sur cette histoire.

— J'ai rassemblé tout un dossier. J'ai trouvé d'autres photos de cette époque. On ne voit pas votre mari, mais peut-être allez-vous reconnaître d'autres personnes, ses amis. J'ai récupéré aussi des vieilles cartes au 1/25 000 avec le nom de votre mari dessus, regardez… »

Elle ajusta ses lunettes sur son nez. Puis pointa du doigt les grosses lettres crayonnées par l'Arnaqueur le matin même.

« Ah oui, en effet.

— Et puis… quelques lettres délicates.

— C'est-à-dire ?

— Au début, je ne voulais pas vous les montrer, mais…

— Mais quoi ?

— Disons que je suis très gêné, vous comprenez. (Une pause.) Ce sont des histoires qui ne nous concernent plus maintenant que votre mari et que mon père sont décédés.

— De quoi parlez-vous ?

— Lisez. Mon père a versé plusieurs sommes

importantes à M. Fleury au cours des trente dernières années. Avez-vous eu des soucis finan-
ciers ?

— Il était cheminot. Nous ne roulions pas sur
l'or, c'est vrai. Mais de là à dire que nous man-
quions, ça non.

— A-t-il parlé d'argent ou d'un problème quel-
conque ?

— Il était très discret sur ces choses. C'est lui
qui gérait l'argent de la famille, il ne m'en parlait
jamais.

— Je vois.

— Vous croyez que… ?

— Seul Dieu le sait, maintenant…

— Mon Dieu, René, René…

— Au total, il y en a pour plus de deux millions d'anciens francs. »

Elle se tut, atterrée. Puis reprit, hésitante :

« À bien y réfléchir, en 63, ou en 64, il voulait
à tout prix avoir cette nouvelle 2 CV qui venait
de sortir. J'avais trouvé ça bizarre qu'il puisse se
l'acheter aussi rapidement…

— Avec deux millions d'anciens francs, on
pouvait s'acheter beaucoup de choses. »

Devant la mine défaite de l'Arnaqueur, la
vieille dame parut désespérée.

« Cet argent, cher monsieur, n'a jamais manqué
à votre père ?

— Mon père était très généreux. Il ne pensait

pas assez à lui. Cet argent ne lui a pas manqué car il s'est suicidé...

— Quelle horreur !

— En 1988. J'avais tout juste vingt et un ans... Triste année...

— Oui, triste année. C'est en 1988 que nous avons perdu notre Jacques dans un accident de mobylette. Il n'était guère plus âgé que vous : vingt-six ans. »

L'Arnaqueur parut tomber des nues.

« Je l'ignorais. (Silence.) La mort de mon père m'a tellement affecté. Il fallait surtout que je m'occupe de ma mère. Elle n'avait plus aucune ressource. Il n'avait rien laissé. Tout avait été dilapidé. Il m'a fallu abandonner mes études d'ingénieur pour travailler à l'usine.

— Pauvre garçon...

— J'aimais mon père, il était discret et bon, comme votre mari. Il avait le cœur sur la main. Ce qu'il avait donné, pas question de le reprendre. Certainement aurais-je eu une vie meilleure si j'avais pu continuer mes études d'ingénieur, mais que voulez-vous ? »

Silence gêné.

D'un geste théâtral, l'Arnaqueur reposa son morceau de tarte à moitié entamé sur la table, comme pour marquer la force du regret et peut-être même la rancune. Tarte aux pommes et fin du monde. Il fallait que la dette fût honorée.

« Je suis toute seule maintenant. Je n'ai plus de mari, je n'ai plus d'enfant. Ma sœur m'a quittée, elle aussi, il y a deux ans. Je n'ai que quelques neveux et nièces qui ne viennent jamais me voir. Je ne fais rien de mon argent. Il est à vous.

— Madame, je ne peux accepter.

— Je suis indirectement coupable de ce qui vous arrive…

— Madame, je sais la bonté et l'honnêteté de votre mari. S'il n'a pas honoré sa dette envers mon père, c'est qu'il avait de sérieuses raisons.

— J'ai des économies, laissez-moi nous racheter…

— Souvent, les hommes ont leurs secrets.

— En euros, je ne sais plus trop combien cela fait. Je calcule toujours en anciens francs.

— Certes, cela me permettrait d'aller voir plus souvent ma mère. Le train coûte cher.

— Vous êtes un brave garçon. Vous me faites penser à mon fils. Lui aussi était gentil.

— Votre fils était quelqu'un de bien, j'en suis sûr. Je suis confus, je ne sais pas trop quoi dire.

— Attendez, où ai-je mis mon chéquier… Il doit être dans mon sac dans l'entrée.

— Je ne peux pas accepter, madame.

— Je me permets d'insister, jeune homme. »

Il prit le chèque qu'elle lui tendait. Satisfait du montant, il fit à la vieille dame le don d'une ultime flatterie.

« Prenez ce petit livre. C'est une étude remarquable sur l'opération "Tigre blanc". Votre mari y a joué un rôle déterminant. »

Sur ces mots, l'avocat achève son récit.

Satisfait, il examine les visages, juge de l'effet sur l'assistance. Sauf coup de théâtre improbable, le procès est dans la poche. Il ignore qu'au même moment la police scientifique déchiffre le mot de passe de l'ordinateur de l'Arnaqueur. De nouveaux éléments vont changer le cours de cette affaire.

LE COUP DE FOLIE
DE PAUL SHERIDAN

Quelques jours avant le procès, Paul Sheridan avait été confronté à l'Arnaqueur. Il se retrouva pour la première fois directement face à un suspect et non plus séparé de lui par le miroir sans tain. L'Arnaqueur n'avait jamais tué ni même agressé qui que ce fût. On avait donc estimé que le jeune Sheridan pouvait traiter ce nouveau client sans pour autant prendre de risque inconsidéré. Fut-ce la faute décisive ?

Paul se rendit à l'interrogatoire le ventre noué. Derrière la vitre, il se sentait protégé. Incognito, il se prononçait facilement. Les yeux dans les yeux son jugement se brouillait.

L'Arnaqueur fut surpris de voir entrer un très jeune homme dans la pièce. Il tourna la tête vers le policier qui ne dit rien, puis détailla avec intérêt ce nouveau venu, manifestement très intimidé.

Le policier reposa sa question.

« Est-ce vrai que tu as détruit ton ordinateur portable ?

— Oui. Je vous le dis pour la troisième fois. »

Le policier regarda Paul, qui observait attentivement le prévenu. L'Arnaqueur se demandait pourquoi ce gamin le dévisageait avec autant d'insistance. Était-il de la famille d'une des vieilles ? Tout cela ne semblait pas très régulier.

« Il ment. Il n'a pas détruit l'ordinateur. »

L'Arnaqueur dévisagea Paul avec stupéfaction. Comment avait-il deviné ? Comment était-ce possible ? Sans doute une coïncidence. Lui qui mentait avec le plus grand aplomb, lui qui trompait tous les détecteurs de mensonges. L'inconnu avait eu un coup de bol, c'est tout.

Le policier reprit.

« Alors, où est-il caché, cet ordinateur ? »

Pour la première fois depuis très longtemps, l'Arnaqueur douta de ses capacités. Ce gamin était doué, certes. Mais l'Arnaqueur se ressaisit. Il était le génie du mensonge. Il allait le prouver. Il pensa à Christelle, à ce séjour idyllique à Bruxelles l'an dernier. Il revit en esprit cette chambre d'hôtel dans laquelle ils s'étaient aimés. Il répondit machinalement sans détacher sa pensée de cette image.

« Vous ne le trouverez jamais. »

Christelle, sa divine poitrine, la chambre de type rococo, cette fenêtre qui donnait sur cette place... Comment s'appelait-elle déjà ?

« Il ment sans doute. Il n'est pas à l'aise. En

tout cas, il craint que vous ne trouviez cet ordinateur, lâcha Paul en fermant les yeux.

— Donc, nous pouvons le trouver! exulta le
policier. (Il appuya sur le bouton de l'interphone
encastré dans la table.) Les gars, passez-moi
l'appartement au peigne fin une nouvelle fois.
L'ordinateur y est. Fouillez chaque centimètre
carré de ce putain de studio! Sondez les murs,
démontez le lave-vaisselle si besoin. Rapportez-
moi ce foutu portable!»

L'Arnaqueur fixa Paul avec intensité. Paul
évita son regard, jouant maladroitement avec le
stylo posé devant lui.

Le policier lui dit: « C'est bien, fiston, allez, on
s'arrache. »

Juste avant de sortir, Paul eut un dernier coup
d'œil en direction de l'Arnaqueur qui lui lança:

« Toi, petit, si tu flirtes trop avec la vérité,
attends-toi à devenir fou... »

Cette phrase marqua Paul au fer rouge.

Enfant, il utilisait son don pour admirer les couleurs à la tombée du soir. Ce don était destiné au
plaisir visuel: chaque mouvement lui renvoyait
la puissance féerique de la lumière. Mais, depuis
qu'il côtoyait le mensonge, ce monde chatoyant
de l'enfance avait brutalement disparu. La perversité rongeait son nuancier. Les teintes traduisaient
des hypocrisies, des impostures, des non-dits. Les

différents tons de rouge ne reflétaient plus la trajectoire du soleil, mais les multiples ruses de la duplicité. Déformation professionnelle ou naïveté de l'enfance qui s'en va? Impossible à dire. Désormais, dans la rue, les arabesques avaient laissé place à des hommes coupables, des femmes adultères et des jeunes honteux. Le mensonge, la crainte, la noirceur se lisaient sur la peau des passants.

Paul, mal à l'aise, marchait en regardant ses pieds : au moins, il ne voyait pas l'horrible vérité sur les visages. L'enfer est un lieu où la faute des autres nous apparaît crue et sans fard.

Les semaines passaient. La phrase de l'Arnaqueur résonnait en lui comme un mantra. Fou. Cet homme avait raison. Il allait devenir fou. Comment éviter de voir le mensonge quand il s'expose si clairement ?

Trouver une échappatoire. Un endroit où la beauté de l'enfance déploierait de nouveau toute sa gloire. Un lieu où les lumières danseraient juste par délicatesse et sans arrière-pensée. Où ? Et comment ?

L'art. C'était la réponse. Un monde imaginaire, une réalité magnifiée où seule la vérité de l'artiste compte. Les hommes, pourtant si décevants, avaient raison de rechercher la beauté dans les arts : un refuge contre la médiocrité.

Dostoïevski l'avait dit : « L'art sauvera le monde. »

Paul se concentra sur la peinture. À ses yeux, cela restait un art mineur : une vision trop statique des couleurs. Il attendait d'une toile des couleurs plus pétillantes, plus miroitantes, plus ondoyantes. Animées.

Il décida d'apprendre à peindre. Il créerait un nouveau style qu'il baptisa l'« école de la peinture vivante ».

Dans son délire, Paul était convaincu que Baudelaire, son poète préféré, avait le même pouvoir que lui.

Cheveux bleus, pavillon de ténèbres tendues,
Vous me rendez l'azur du ciel immense et rond.

Comme de longs échos qui de loin se confondent
Dans une ténébreuse et profonde unité,
Vaste comme la nuit et comme la clarté,
Les parfums, les couleurs et les sons se répondent.

Paul déchanta au bout de quelques jours. Ses peintures étaient aussi ternes que celles des livres. Dès que la peinture séchait, la couleur se figeait.

Il se souvint alors de ses émois d'enfant, quand il pressait entre ses doigts des vers de terre. Il attrapa donc une mouche sur sa table et la disséqua. Le mélange de tons que dévoilait l'insecte l'enchanta.

Souhaitant faire d'autres expériences, Paul se rendit dans une animalerie pour acheter quelques poissons rouges. Sur la table de la cuisine, il se perfectionna. Par exemple, mieux valait éventrer le poisson avant de le tuer, plutôt que l'inverse : les jolies couleurs ondoyaient parmi les boyaux quelques minutes de plus.

Le week-end suivant, Paul incisa un hamster. Plus gros, plus chaud. Spectacle éblouissant. Avec une fourchette, il arracha les intestins de la bête et les projeta sur la toile. Il étala le sang tout autour et broya les organes restants qui prirent une teinte bleutée très rare.

Avec ce corps déstructuré, l'« école de la peinture vivante » venait de naître.

Le garçon s'assit en face de son tableau et l'admira. Il venait de créer un mouvement artistique génial réservé à l'élite. Désormais, il y aurait Baudelaire et lui.

Les jours suivants, on le vit beaucoup à l'animalerie. Poisson, hamster, souris, lapin nain, cochon d'Inde, perruche, canari. Tout y passa. Malheureusement, ces animaux de compagnie étaient de petite taille.

Il tenta de nouvelles expériences. Il mélangea son sperme au sang de lapin. Ce fut des filaments bicolores qui refusèrent de s'amalgamer. Décevant... Son génie réclamait davantage : de nouvelles couleurs, de nouvelles sensations. Une autre matière première.

Paul commença de regarder les petites filles dans la rue.

Annabelle était la candidate parfaite. Âgée de huit ans environ, elle habitait deux étages plus bas que lui. Il la croisait dans l'ascenseur avec sa mère à son retour de l'école. Elle avait une longue chevelure blonde ondulée. D'origine danoise, sa peau naturellement blanche traduisait facilement ses émotions.

Quand il la regardait jouer au jardin d'enfants, Paul aimait voir ses joues se colorer rapidement et les muscles de ses cuisses rosir au même rythme que ses jeux. Quand il prenait l'ascenseur avec elle, il sentait derrière sa nuque la senteur de l'enfance. Ce musc délicat. Cette petite voix qui lui disait bonjour. « *Les parfums, les couleurs et les sons se répondent.* »

Un excellent choix pour son premier tableau humain.

Il réfléchit à la composition. Un corps de cette taille perdrait sa pigmentation en moins de trois heures. Il serait indispensable de maintenir le sujet en vie le plus longtemps possible. Mais comment avoir une œuvre vivante plusieurs jours durant, sans tomber dans des complications infernales ? Paul ne voulait pas gérer les cris, ni s'occuper des déjections ou des repas : non, il voulait se consacrer uniquement à l'esthétique.

Bref, l'œuvre devrait être éphémère. Trois ou quatre heures, tout au plus.

Jouir d'un spectacle fugitif : voir la carnation d'un visage se modifier au fur et à mesure que le sujet prend conscience de son sort. Privilégier une lumière changeante, comme la lumière rasante d'un petit matin. Pimenter le tout avec des pieds plongés dans de l'eau glacée. Voir le gradient de température, cette belle palette partant du bleu pour mourir vers un rouge rosé. Planter lentement un couteau dans la gorge en évitant la carotide. Attendre. Admirer la trace du sang vermeil coulant sur le corps devenant bistre, peu à peu.

Paul songea à ce sublime spectacle et se masturba.

Le lendemain, vers sept heures trente, quand Annabelle sortirait de chez elle pour aller à l'école, il l'attraperait dans le couloir. Il n'avait que quelques mètres à faire jusqu'à son appartement. À cette heure-ci, il n'y aurait personne.

Il rangea son salon, aiguisa son couteau. S'endormit comme un bébé.

Et fit un rêve étrange.

LE RÊVE DE PAUL

Dans son rêve, Paul s'appelle Langevin. Il a trente-neuf ans, ce qui lui semble un âge avancé. Il est physicien. Surtout, il vient de faire la plus formidable des découvertes : la jouvence éternelle, le pouvoir de rajeunir. Tout cela grâce à une extension très basique de la théorie de la relativité restreinte émise par Einstein. Paul n'a jamais étudié cette théorie, pourtant, dans son rêve, il la connaît parfaitement.

La relativité restreinte enseigne que le temps se dilate quand on se rapproche de la vitesse de la lumière. En résumé, plus on va vite et moins le temps s'écoule vite. À la vitesse de la lumière, le temps s'arrête, on ne vieillit plus. Au-delà, on rajeunit – chose normalement impossible, sauf dans les hallucinations oniriques.

Dieu – ou quelqu'un d'autre, Paul ne se souvient plus – a dit que la fin du monde était proche. Aussi Paul construit-il une fusée plus rapide que la lumière. Il aimerait y embarquer un animal de chaque espèce, mais il ne trouve aucune bestiole (il les a toutes sacrifiées pour ses toiles) et sa fusée est trop petite (elle ressemble à la salle d'interrogatoire).

Il ne dit rien à personne. Il veut expérimenter son idée sur lui-même avant d'en parler, par peur d'être tourné en dérision.

Et la fusée décolle. Elle fait le même bruit que la fraise du dentiste. Tout se passe bien.

Vitesse de la lumière atteinte. Il accélère encore.

Vitesse une fois et demie celle de la lumière. Il sent sa peau se tendre. Il regarde ses mains : ses veines bleutées commencent à disparaître. Ses poils s'enfoncent doucement dans l'épiderme tandis que ses cheveux retrouvent leur couleur brune. Ça marche, il est un génie.

Satisfait, il se regarde dans le miroir. Il a vingt-cinq ans. Il se sent fort, il se sent bien.

Il pousse le levier situé contre le mur : la fusée va encore plus vite. Il veut atteindre ses dix-huit ans. L'année où il a flirté avec la vérité.

Mais le temps se précipite. L'engin file à travers l'espace avec une incroyable célérité. Déjà Paul n'a plus que seize ans, son cartilage craque. Ses os se compriment, il rapetisse. À quatorze ans, il a perdu vingt centimètres et un duvet brun ridicule pousse au-dessus de sa lèvre supérieure. Il le touche, c'est doux, il avait oublié. Soudain, il réagit, il doit décélérer, l'expérience doit s'arrêter rapidement, il n'a que dix ans. Il soulève la tête, le levier de vitesse est là-haut, contre le mur. Il tend son petit bras sans succès. Vite, vite, il attrape une chaise, mais elle est trop lourde pour ses muscles d'enfant de six ans. Il la tire, il peine. Il pense au bouton d'arrêt d'urgence. À quatre pattes il se dirige vers lui, en bavant et grognant sous l'effort. Arrivé à quelques centimètres de l'interrupteur, il tombe et le percute.

Il s'évanouit.

La fusée interrompt son voyage. Elle revient vers la Terre selon la procédure d'urgence.

Le centre spatial détecte la fusée. Demande d'authentification. Pas de réponse : le pilote automatique est enclenché.

La fusée atterrit sur la plate-forme 42, toujours aucune réponse. L'équipe d'intervention est prête.

Ouverture de la porte à la meuleuse.

Entrée de soldats en tenue d'assaut : gilets pare-balles, armes sophistiquées, combinaisons contre les rayonnements. Le capitaine ressort en faisant un signe de sa main droite. Les pompiers montent à bord. Ils découvrent le bébé sur le sol. Personne d'autre. Mystère. Qui a enclenché l'arrêt d'urgence ? Qui a bien pu concevoir ce projet cruel : envoyer un nourrisson seul dans l'espace ? Est-ce la version moderne du *Petit Poucet* ?

Quant au secret de la jouvence, il a disparu.
Paul se réveille en sueur à 6 h 48.
C'est le grand jour.

PAUL JUGÉ

7 h 51. Un coup de bélier suffit à la police pour enfoncer la porte du numéro 28. Deux hommes casqués neutralisent Paul. Il ne réagit pas. Au centre du salon, écartelée sur un portique en bois, se trouve la jeune Annabelle, chaque membre attaché à un coin du cadre, une balle rouge dans la bouche. Elle est nue, ses longs cheveux blonds courent dans son dos.

En un instant, Paul se retrouve plaqué au sol, menotté. Un homme lui bloque la nuque avec son genou. Cet homme sent mauvais – seule pensée de Paul en ces circonstances.

On détache la petite fille pour l'installer sur un brancard. Ils sont arrivés à temps. Le couteau est recueilli comme pièce à conviction et mis dans un sachet plastique.

Un témoin avait vu la fillette se débattre dans le hall de l'immeuble tandis que Paul l'entraînait dans l'ascenseur. Il avait appelé la police.

Le tribunal imposa le huis clos. Au moment du drame, Paul Sheridan travaillait pour le ministère de l'Intérieur. Toute l'affaire fut classée secret-défense. Par bonheur, les forces de l'ordre étaient intervenues à temps. Annabelle n'avait subi aucun sévice. Paul jusque-là n'avait jamais attiré l'attention. Pas de quoi éveiller la curiosité des journalistes – d'autant plus qu'un fait divers autrement sensationnel monopolisait la presse : un hélicoptère s'était écrasé dans une plantation de noyers de la vallée de Chantebrie. Les pales avaient déchiqueté cinq cueilleurs. Des photos parurent dans les journaux, qui firent scandale, entraînant une polémique. Heureuse coïncidence...

Dès la première phase du procès, la défense trouva un argument imparable : victime d'une mutation génétique, Paul s'était trouvé mis à l'écart des autres enfants, développant ainsi un comportement immature. Et voici qu'à l'adolescence, au lieu de l'aider à surmonter son handicap, le gouvernement l'utilise, l'exploite et le met au contact de dangereux criminels.

« Faut-il rappeler à la cour que M. Sheridan a été requis, très jeune, pour quatre-vingt-dix-huit cas. Soit une expertise par semaine pendant deux ans. Paul Sheridan avait seize ans quand il a commencé à travailler les week-ends, ajoutant ces tâches à ses obligations scolaires. Pensez-vous que c'est là un rythme humain pour un enfant différent, qui cherche à se construire et à se faire une place dans la société ? Travailler cinquante heures par semaine, faire ses devoirs, puis passer ses samedis dans des bureaux sans fenêtre à interroger des psychopathes et des terroristes, est-ce la méthode du ministère pour éduquer nos chères têtes blondes ?

— Je vous rappelle que Paul Sheridan n'était jamais, à de rares exceptions près, en contact avec les suspects. Il était protégé derrière une vitre sans tain.

— Et moi je vous réponds que, pour reprendre vos propos, à de rares exceptions près, il n'a jamais commis de délit. Est-ce que votre vitre sans tain était insonorisée ? Est-ce grâce à ce merveilleux dispositif que cet enfant n'a pas entendu les récits de M. Jawaski décrivant comment il avait violé et sauvagement assassiné une petite fille de cinq ans ? Est-ce grâce à votre fameux miroir sans tain qu'il a évité les détails sordides de l'affaire du gang des écorcheurs de Rouen ?

— Ces histoires n'ont rien à voir avec l'affaire du jour.

— Eh bien, je prétends le contraire. Vous avez tous lu le rapport des experts. Exposer un adolescent psychologiquement perturbé par sa différence congénitale à des récits sanguinaires peut expliquer des actes violents. Ne cherchez pas plus loin, messieurs les jurés. Il n'y a qu'un seul coupable dans cette salle. Or, ce n'est pas celui qui se tient dans le box des accusés. Le véritable coupable, c'est l'administration. »

Les débats continuèrent ainsi pendant plusieurs jours. La controverse tournait autour de la fragilité de Paul et d'une possible récidive.

Au matin du cinquième jour, à la stupeur générale, son avocat revint sur l'histoire du célèbre Franck Vermüller. « Oui, mesdames et messieurs, le monstre qui sommeille en chacun de nous, plaida-t-il, ne prend pas toujours la pire des formes. »

LE GÉNIE
DE FRANCK VERMÜLLER

Le 11 mai 1982, Hans Vermüller annonça à Monique, son épouse, qu'il aspirait à plus de liberté. À bien y réfléchir, la vie qu'il menait n'était pas celle qu'il avait espérée. Il était temps, à quarante-quatre ans, de réagir. Il avait encore de belles années devant lui mais ne pouvait plus se permettre de traîner.

Monique, de cinq ans sa cadette, enceinte de quelques mois, lui reprocha de l'abandonner, le traitant de lâche et d'irresponsable. Vermüller répondit qu'il lui laissait volontiers le soin des marmots, qu'elle aimait tant, et qu'il lui accordait en prime le bébé à naître. Il monta dans sa berline allemande et disparut.

Il omit de lui parler du paquet d'actions que son patron lui avait octroyé. De toute façon, cela ne la concernait déjà plus vraiment.

Monique Vermüller retourna vivre chez sa mère, dans un ancien corps de ferme entouré de champs en friche. C'était la maison de famille où Monique avait grandi. C'est là que naquit Fanny, la petite sœur de Franck Vermüller.

À l'époque des faits, Franck avait douze ans et demi. C'était un garçon remarquablement sage et dévoué à sa mère. À cet âge ingrat où les enfants se transforment en jeunes hommes renfermés et arrogants, Franck gardait toute sa gentillesse. Le soir, il couchait sa sœur, puis bordait symboliquement sa mère en lui racontant les petits détails de sa journée de collégien.

Divorcée, Monique chercha un emploi pour subvenir aux besoins de ses enfants. Elle trouva une place au bureau de poste du village. Le samedi, pour arrondir son maigre salaire, elle faisait quelques heures de ménage. Elle jonglait entre son travail, les allers-retours à l'école et les tâches ménagères.

La journée, la mère de Monique gardait Fanny. Mais c'était une vieille dame usée par des années de repassage. Ses douleurs lombaires l'empêchaient de se déplacer ou de soulever de lourdes charges. Elle pouvait encore s'occuper d'un petit bébé qui ne marchait pas, mais il faudrait vite trouver une solution pérenne... Aussi, le mercredi après-midi et le samedi, quand il n'était pas à l'école, Franck gardait-il sa petite sœur, laissant sa grand-mère se reposer devant la télévision.

Une année passa. Franck adorait cette nouvelle vie à la campagne. Il passait le plus clair de son temps dehors, dans les prés. L'enfance, c'est le monde des trucs et des bidules. Franck y consacrait ses dimanches. Son énergie faisait plaisir à voir. Il n'avait pas besoin de la compagnie des autres enfants de son âge. Cela arrangeait les deux femmes, qui pouvaient l'interrompre dans ses jeux pour quelques menus services : rentrer les bûches, monter à l'échelle, acheter le lait, etc.

Franck se pliait de bonne grâce à toutes ces corvées. Chaque jour, sa mère remerciait Dieu d'avoir un enfant si gentil.

Jusqu'à cette fin juin. Franck jouait dans le jardin. Sa mère rangeait sa chambre quand elle découvrit un petit carnet glissé entre le lit et le mur. D'habitude, Monique ne furetait pas dans ce coin, mais ce jour-là, elle avait tiré le lit pour récupérer une punaise qui s'était décrochée du mur. C'était un carnet de poche avec une couverture de cuir marron. Monique reconnut le modèle qu'utilisait son ex-mari. Instinctivement, elle eut un mauvais pressentiment.

Sur la première page, le nom de Hans Vermüller avait été barré au stylo rouge. À la place, dans une écriture soignée à l'encre noire, Monique lut : « *Cinquante façons astucieuses de tuer une sauterelle, par Franck Vermüller* ». Intriguée, elle s'assit sur le lit et feuilleta le petit cahier. Sur chacune des pages, un numéro précédait une courte phrase détaillant une technique d'exécution. Quelques croquis ponctuels explicitaient les expériences.

1. L'écraser avec un marteau
2. Lui arracher les pattes pour qu'elle meure de soif
3. La brûler à l'aide d'une loupe
4. Lui arracher les pattes et la placer dans une fourmilière
5. L'asperger d'huile et la faire brûler
6. La décapiter
7. La pendre
8. L'écarteler
9. La jeter dans une toile d'araignée
10. La noyer
11. La lapider
12. L'asphyxier
13. La faire cuire au four (cuisson lente, température inférieure à 120° de préférence)
14. L'empoisonner
15. Lui remplir le corps d'eau à l'aide d'une seringue
16. Injecter de l'air dans son corps (seringue avec micro-aiguille)
17. La donner à une mante religieuse
18. L'ensevelir
19. L'emprisonner dans du ciment frais (sauf la tête)
20. Lui couper les antennes

21. La couper dans le sens de la longueur (commencer par l'abdomen)
22. La dépecer avec le couteau de cuisine
23. L'écraser entre le pouce et l'index jusqu'à ce que les boyaux sortent par la bouche
24. Lui faire boire de l'eau de Javel
25. La tremper dans de l'acide chlorhydrique
26. La couper et mettre du gros sel dessus
27. L'endormir avec du chloroforme
28. L'enterrer vivante dans une boîte en carton (une boîte d'allumettes par exemple)
29. La mettre dans de la mie de pain et la donner à manger au chien
30. Lui arracher les pattes et la poser sous une roue de voiture
31. La hacher au hachoir
32. L'écraser avec le pilon à aïoli
33. La mettre au milieu de glaçons pour voir si elle résiste au froid
34. Lui faire boire du vin (la tremper dans un verre)
35. L'accrocher à un fil à l'arbre pour qu'elle soit mangée par les oiseaux
36. La clouer à une planche (prendre des petits clous)
37. S'en servir d'appât dans les pièges à oiseaux
38. S'en servir d'appât à la pêche (ne pas enfiler l'hameçon par la tête pour ne pas la tuer)
39. La transpercer d'aiguilles à coudre (au bout de combien meurt-elle ?)

40. La mettre dans l'étau. Serrer. Parier si les boyaux sortent par le haut ou par le bas
41. La noyer dans la cuvette des toilettes
42. L'enduire de miel et la laisser dans une fourmilière
43. Lui arracher les ailes et la faire tomber de haut (note : la fenêtre du haut ne suffit pas)
44. La faire marcher sur le poêle, les ailes arrachées
45. La raccourcir chaque jour d'un millimètre
46. La faire nager dans un seau d'urine jusqu'à ce qu'elle s'épuise
47. La râper avec la râpe à légumes
48. Enfiler dans son corps une aiguille à tricoter
49. La manger
50. L'enfoncer la tête la première dans des excréments

Suivait une page blanche, puis la même écriture noire : « *Cinquante façons astucieuses de tuer un chien, par Franck Vermüller* ».

La liste, récente, ne contenait qu'une seule proposition.

1. Creuser un trou profond de 80 cm. Planter au fond un pieu en bois bien aiguisé (longueur : 20 cm). Couvrir le trou d'une fine toile. Poser un morceau de viande sur la toile. Attendre que le chien marche sur la toile et s'empale.

Monique eut un haut-le-cœur. Elle se précipita dans les toilettes et vomit.

Comment imaginer une seconde que son adorable fils puisse écrire de telles horreurs ? Était-ce un cauchemar ? Avait-il réellement utilisé le hachoir de la cuisine pour tuer une sauterelle ? Avait-il vraiment mangé l'insecte ? Comment avait pu germer l'idée de dérober une aiguille à tricoter pour l'enfoncer dans le rectum d'un malheureux insecte ? Allait-il réellement trouver les quarante-neuf idées manquantes pour tuer un chien ?

Pour la deuxième fois en cette journée, son univers chancela.

Ce carnet appartenait bien à Franck, aucun doute. Elle reconnaissait son écriture. Elle n'avait pourtant pas remarqué de changement dans son comportement. Comment son fils chéri avait-il pu changer à ce point ? Puis elle pensa à Fanny. Franck s'en occupait régulièrement. Et s'il avait forcé sa petite sœur à manger la sauterelle ? S'était-il amusé du spectacle de l'innocente écrasant l'insecte dans sa paume ?

Son bébé allait-il être témoin du massacre canin que préparait son frère ?

Lorsque Franck rentra pour le souper, il ne remarqua pas les yeux rougis de sa mère. Mais quand il s'approcha de sa sœur pour l'embrasser, Monique se raidit. Si son fils avait un esprit suffisamment pervers pour imaginer cinquante façons de tuer un insecte, pourquoi ne s'en prendrait-il pas au bébé ? Elle se leva brusquement, fit tomber sa chaise et s'écria :

« Ne t'approche pas d'elle !

— Quoi ?

— Ne la touche pas ! »

Elle prit sa fille dans ses bras et s'enfuit dans sa chambre.

La grand-mère, attablée, s'arrêta de manger. Elle fixa son petit-fils, la cuillère immobilisée à hauteur de sa bouche.

« Qu'as-tu fait, mon petit ?

— Je ne sais pas, mémé. Je ne comprends pas. »

Monique pleurait dans son lit en serrant Fanny quand son fils entra et s'assit à ses côtés.

« Maman ? »

Elle retint son souffle.

« Qu'est-ce qu'il y a, maman ? »

Elle ravala une larme et parla d'une voix chevrotante :

« J'ai découvert ton carnet derrière ton lit.

— …

— C'est monstrueux, pourquoi as-tu écrit cela ?

— Je crois que ça me plaît, maman. J'aime tuer les insectes. »

Elle renifla bruyamment, se redressa pour se donner une contenance. Elle tourna la tête à droite, puis à gauche, comme pour éviter le regard de son fils, et déclara d'un ton froid qui trahissait mal son émotivité :

« Ne rien faire ne te convient pas. Je ne peux pas m'occuper de toi pendant les grandes vacances, il faut que quelqu'un te prenne en main. Dès demain, tu iras chez ton oncle Bernard et tu l'aideras à la ferme. Il t'apprendra à aimer les animaux. Tu ne reviendras ici qu'au moment de la rentrée des classes. »

Cette décision changea à jamais le destin de Franck Vermüller.

Un tel trait de personnalité ne se corrige pas en deux mois. Se corrige-t-il, d'ailleurs ? Malgré son apparence enfantine, Franck avait en lui une flamme sombre qui menaçait de croître. Mais l'Histoire est incertaine et révèle toujours des surprises.

Car Franck rencontra Grimalov...

LE DRAME DE GRIMALOV

Jusqu'alors, Grimalov se considérait comme un écrivain comblé.

Le succès lui était venu dès son premier roman, *Les Baladins de Rome*. Il avait quarante-cinq ans. Mêlant subtilement peinture, intrigues politiques et amoureuses, ce polar se déroulait pendant la Renaissance. Deux cent mille exemplaires écoulés. Droits vendus dans dix-sept pays. Sur les conseils de son éditeur, il démissionna de son poste d'auditeur financier dans une entreprise automobile de la région parisienne et s'aménagea un bureau dans son appartement du XIIe arrondissement, s'astreignant à écrire tous les matins. Les après-midi, il flânait dans les rues de Paris en quête d'inspiration, ou tout simplement pour profiter d'une douceur de vie qu'il avait oubliée, après vingt années de travail dans une tour à la Défense. Naturellement, il acheva son second livre.

Fort du succès du premier roman, le second ne

passa pas inaperçu. *Le Complot de Turin* lui valut plusieurs articles et quelques invitations sur des plateaux de télévision. Les ventes, cependant, n'égalèrent pas celles des *Baladins de Rome*. La critique jugea l'histoire de meurtres sur fond d'amour impossible et de familles rivales qui se disputent le pouvoir au XVIIe siècle rebattue.

Son éditeur lui renouvela néanmoins sa confiance, lui suggérant de changer d'air pour trouver de nouvelles sources d'inspiration – conseils assortis d'une belle avance sur le troisième opus.

Après quelques semaines de réflexion, Grimalov conclut qu'un changement encore plus radical s'imposait. Il vendit son trois-pièces parisien pour s'installer à la campagne. De l'espace/du volume/ un lien retrouvé avec la nature/inspiration retrouvée. Fantasme de citadin.

Début mai. Il acheta des chaussures de randonnée, deux shorts beiges – la couleur comme le vêtement lui étaient jusqu'alors inédits – et une charmante maison dans une région verdoyante, loin de la capitale. En voiture, quelques nationales poussives puis rien que des départementales. Mieux valait le train, mais avec deux changements puis un autocar… Jamais Grimalov n'aurait cru cela possible : qu'il restât en France des villages inaccessibles – entendons inaccessibles *à partir de Paris*.

Son choix s'était porté sur une ancienne

dépendance rénovée. Un ruisseau coulait à mi-chemin de la ferme voisine distante de quatre cents mètres environ. Ces voisins étaient un couple de paysans d'une cinquantaine d'années. Ils l'accueillirent avec bienveillance, lui fournissant des œufs, une salade ou parfois quelques volailles.

La période était splendide, les fleurs explosaient tout autour de sa maison, l'odeur oubliée des herbages lui chatouillait les narines dès qu'il ouvrait la fenêtre. Il passa le mois de mai à aménager sa maison, notamment son bureau qu'il plaça au premier étage.

Assis devant sa feuille, il pouvait ainsi contempler par une large double-fenêtre le pré fleuri qui s'étendait à perte de vue. Au fond, juste avant une allée de chênes, paissaient quelques moutons. Bref, loin de la ruche humaine de la capitale tout n'était qu'ordre, beauté, calme et sérénité.

Grimalov tenta de renouer avec la nature. Il entreprit de grandes balades solitaires durant lesquelles ses pensées pouvaient flotter librement. Il s'arrêtait pour tremper la main dans l'eau du ruisseau, observer les vaches, admirer les constructions de pierre.

Contrairement, ou à l'instar de Rousseau, il s'ennuyait. Son éditeur avait pris l'habitude de l'appeler tous les mardis pour faire le point. Grimalov meublait les conversations. Son nouvel environnement, expliquait-il, était si propice à la créativité que mille idées lui venaient par jour et que sa vraie difficulté était d'en faire le tri.

En fait, Grimalov ne trouvait pas ses repères. Certes, il pressentait combien l'environnement lui serait précieux une fois le livre entamé : il pourrait alors se consacrer tout entier à l'écriture. Mais il lui manquait les vieux adjuvants de son imagination, qui étaient – pour trouver le départ du livre – de flâner sur les grands boulevards, d'observer le comportement des gens au super-marché ou de regarder perché de son septième étage la fourmilière des Parisiens.

Mi-juin, il envoya à son éditeur une bafouille de quelques lignes. L'histoire d'un homme qui a un problème moral (LEQUEL ?) et qui, pour reconquérir le cœur de sa belle (QUI ?), doit trouver une solution (DE QUEL TYPE ?) à son problème, donc. Mais une Némésis (SOUS QUELS TRAITS ?) va lui mettre des bâtons dans les roues. Au final, une confrontation lyrique (À DÉFINIR) opposera les deux prétendants. Le dénouement reste en suspens. Comme tout le reste, finalement.

L'éditeur devint naturellement pressant, exigeant d'avoir quelque chose à se mettre sous la dent. C'était déjà loupé pour la rentrée d'août. Il pouvait encore tenter celle de janvier. Aucune crainte, le texte serait prêt.

En dégustant son café noir, Grimalov écrivit la première phrase du premier chapitre, une citation de Jean Giono destinée à initier l'énonciation.

« Les joies du monde sont notre seule nourriture. La dernière petite goutte nous fait encore vivre. » Satisfait, il leva la tête et contempla le pré qui s'étalait devant ses fenêtres. Il y remarqua une petite motte de terre intrigante. Il quitta son bureau, descendit l'escalier, enfila ses bottes – guère utiles en ce jour sec, mais destinées à étoffer le trait – et sortit.

La motte en question était en fait un dôme d'environ vingt centimètres de haut. Un agrégat de minuscules boulettes. L'écrivain gratta du pied le cône qui s'écroula. L'existence d'un trou confirma son hypothèse silencieuse : une bestiole avait creusé la pelouse. De retour chez lui, Grimalov se servit un second café. Remarqua qu'il n'avait pas encore lu le journal de la veille. Le feuilleta. Vers quatorze heures, après un repas vite pris, Grimalov retrouva son bureau. Relut la citation de Jean Giono et regarda machinalement par la fenêtre. Un second dôme. À une dizaine de mètres du premier.

Il faudrait en parler à Bernard, à l'occasion. Délaissant Giono, il se mit à scruter l'extérieur dans l'espoir de surprendre l'animal tunnelier.

Vers seize heures, incapable de travailler, il se rendit chez Bernard, son voisin.

Échange formel de politesses. Définition et description imagée de l'élément perturbateur.

Explication du voisin : des taupes, sans doute. Doute de l'auteur : les taupes sont-elles capables d'ouvrages si sophistiqués ? Le personnage paysan regarda l'auteur citadin d'un drôle d'air. Les taupes sont des saloperies. On y peut rien. L'auteur va ouvrir l'œil. Faites donc. Clin d'œil du paysan.

Le lendemain. Deux nouveaux dômes. Avant même de prendre son petit déjeuner, Grimalov retourna chez Bernard pour le tenir au courant. Bernard avait prévenu, de vraies saloperies, ces bestioles. Comment les arrêter ? Choper la bête. La tuer. Assurément, mais comment ? Il y autant d'écoles que de manières de procéder. La plus efficace : attendre au-dessus d'une taupinière, en se tenant parfaitement immobile. Dès qu'elle pointe son museau, *paf* ! Vous lui donnez un grand coup de bêche pour lui exploser la tête. Efficace. Mais faut attendre. (Le paysan sortit un carreau de tissu blanc de sa poche et se moucha.) L'attente est contraignante. Et la bêche cruelle. Méthode douce : du poison. Bernard n'aimait pas trop car on ne savait pas qui ou quoi d'autre risquait de l'ingérer. On pouvait aussi pisser dans la galerie : il paraît que l'odeur les faisait fuir (l'auteur grimaça de dégoût). Bernard, lui, mettait des pièges dans les galeries, style piège à souris.

Bonne idée. Grimalov se rendit au village, acheta une douzaine de pièges et les installa. Ils étaient beaux. Un mulot était dessiné sur la plaque de bois clair. Un anneau en cuivre retenait une tapette bandée par un puissant ressort. Il l'essaya avec un bout de bois. Celui-ci se brisa dans un claquement sec. Ce fut un tel plaisir d'installer les pièges à taupes qu'il ne put travailler de l'après-midi, distrait par l'attente fébrile. Il s'imaginait traqueur de bêtes sauvages, guettait derrière les rideaux, comme si les taupes – myopes, c'est bien connu – pouvaient le voir. RAS.

Le matin, encore en pyjama, il se rua dehors pour relever ses prises. Non seulement les pièges étaient encore tous armés mais trois nouveaux dômes déformaient la pelouse. Ce constat d'échec renforça sa détermination. Ces vulgaires bestioles n'allaient pas le faire craquer, lui, qui avait maté sur le plateau de «Restons livres» les critiques les plus retors. Une poussée d'adrénaline lui rappela la fièvre qu'il n'avait ressentie qu'enfant, lorsqu'il pêchait avec son grand-père sur l'île de Ré.

PLAN B.

Après s'être retourné de nombreuses fois pour s'assurer que personne ne le voyait, il défit son pantalon et urina sur la première taupinière. Il retint le flot entre son pouce et son index, se dandina vers le deuxième trou où il relâcha la pression. Idem pour le troisième, mais la source se tarit. Il rentra dans la cuisine, but quatre grands verres d'eau cul sec. Il attendit. Rien. Il s'impatienta. Il inspecta le pré. Tendit l'oreille. Rien. Seul le bruissement du vent au travers des branches d'arbres. Il baissa son pantalon, exhuma l'appendice. Rien. Combien de temps fallait-il pour produire de l'urine ? Il ne s'était encore jamais posé cette question. Il sortit son dictionnaire et consulta la définition de l'urine. Rien à ce sujet. Au mot « vessie », non plus. Au mot « prostate », chou blanc.

Il décida de se calmer et se rassit à son bureau. Peine perdue. Son attention portait alternativement sur sa vessie et sur le pré. Il relut au moins trente fois la citation de Giono. Pourquoi avait-il voulu débuter par cette phrase ? Ses mains jouaient machinalement avec son stylo, ses yeux scrutaient le pré et son esprit vagabondait plus loin encore. Enfin, la pression se fit sentir. Il descendit en toute hâte, sortit précipitamment l'instrument et termina son arrosage. Satisfait.

Cette technique ancestrale éloignait les taupes, certes, mais seulement des anciens monticules. Fuyant les galeries olfactivement répulsives, les bestioles en créaient... de nouvelles, qui débouchaient sur de nouveaux dômes dissimulant de nouveaux trous. Grimalov venait de découvrir que ce vil procédé était utilisé pour faire fuir les taupes d'une parcelle de terrain à une autre. Ici, la rivière empêchait toute migration. Dès le lendemain, six nouveaux cônes pointaient fièrement vers le ciel.

Grimalov retourna voir son voisin.

«J'ai mis les pièges pour les taupes mais ça n'a rien donné.

— Vous avez mis quoi comme modèle?

— Celui-ci. »

Bernard prit le bout de bois et joua avec de ses gros doigts comme pour mieux le reconnaître.

«C'est le bon. Je ne comprends pas. Vous avez essayé autre chose?

— Oui, dit Grimalov avec hésitation, j'ai uriné dessus.

— Ça n'a rien changé?

— Si. Ce matin, j'ai six nouveaux trous.

— Bon sang! Ça y fait, tout de même!

— En effet... »

Bernard s'accouda à un poteau et regarda les nuages comme pour en nourrir une profonde réflexion. Grimalov leva aussi les yeux mais ne perçut rien. Il attendit. Bernard sortit sa pipe de son large pantalon de velours, la bourra lentement, puis, curieusement, la remit dans sa poche sans l'allumer.

«Venez avec moi au garage, je crois qu'il me reste du poison. »

Le fermier fouilla les étagères, parmi les nombreux pots en verre non étiquetés.

«Voici ce qu'il vous faut, dit-il en montrant des petites boules rouges.

— C'est du poison?

— Oui. Vous mettez deux ou trois boules par trou. Pas plus, sinon les oiseaux les mangent et c'est pas bon pour eux : ça les fait chier vert. Pour les taupes, c'est souverain.

— Merci, je vous tiens au courant.»

Durant une interminable semaine, Grimalov inspecta l'herbe. Les boules rouges de poison étaient toujours là. Il constata quelques chiures vertes. De nouvelles mottes poussaient avec une régularité désespérante.

Cette situation nuisait gravement à sa création littéraire. Depuis deux semaines, sa première page restait figée à la citation de Giono. Que dire à son éditeur? Misère.

Un soir, Bernard et son épouse l'invitèrent à souper, occasionnant l'évocation de son problème. Armé d'une bonne bouteille de rouge, il se mit en chemin.

Bernard discutait avec sa femme et un jeune homme que Grimalov n'avait jamais vu.

«Je vous présente Franck, mon neveu. Il s'ennuyait un peu chez lui, alors sa mère me l'a envoyé pour que je l'occupe… Hein, fiston?»

Clin d'œil complice.

L'adolescent devait avoir dans les douze-treize ans. Grimalov remarqua la finesse de ses traits et la vive lueur d'intelligence dans ses yeux. Ils se saluèrent.

«Franck Vermüller, collégien.

— Grimalov, écrivain. Enfin j'essaie…

— Vous écrivez quoi?

— J'ai écrit deux livres qui ont eu un certain succès. Il n'est pas sûr que vous en ayez entendu parler.»

Le gamin, son oncle et sa tante se regardèrent à tour de rôle et secouèrent la tête.

«Ce sont des romans historiques. Un téléfilm a même été diffusé l'an dernier. Pas terrible d'ailleurs. Le budget était bien trop faible. J'en avais parlé au producteur, problèmes de subventions. Il faudrait réformer tout le système. À commencer par l'aide aux œuvres cinématographiques, à la fois trop importante et mal adaptée aux attentes des téléspectateurs…»

Face au silence poli des trois autres, Grimalov comprit que le système de la redistribution des recettes de la taxe audiovisuelle n'était pas leur préoccupation majeure.

«En ce moment, je suis sur un livre radicalement nouveau. Malheureusement, cette histoire de taupes me tracasse et je n'arrive pas à écrire. Je crois que je vais encore avoir besoin de votre aide…»

Bernard, affairé à ouvrir la bouteille de vin, ne réagit pas. Ce n'est que lorsque le bouchon fut ôté qu'il rebondit sur le sujet.

«Les taupes. Une vraie saloperie. On viendra voir demain. En attendant, goûtons votre... châteauneuf-du-pape. Il ira très bien avec le lapin de Josette!»

La journée d'un paysan débute tôt, rythmée par un nombre infini de petits tracas. Le soir venu, quand le vin est débouché, c'est la trêve. Grimalov comprit cela et ne parla plus de ses misères.

Le lendemain matin, il buvait son café quand ses deux voisins arrivèrent. Malgré la pluie battante, Bernard et Franck avaient tenu leur parole. L'écrivain leur fit passer en revue le terrain miné par une vingtaine de gros trous.

«On peut dire que le terrain leur plaît.»

Bernard s'accroupit devant une taupinière, écrasa un peu de terre mouillée entre ses doigts.

«C'est curieux. La terre est très aérée. D'habitude, les taupes remontent une terre plus compacte.

— Ce qui signifie?

— Peut-être bien qu'il ne s'agit pas de taupes.

— Mais qu'est-ce que ça peut être, alors? demanda Grimalov, très inquiet.

— Je ne sais pas...»

Le paysan cracha par terre, enfonça son béret, se tourna vers son neveu et conclut:

«Il faudrait montrer ça au vétérinaire. Il s'y connaît, lui, en bestioles.»

Le vétérinaire passait au moins une fois par semaine à la ferme. Cette fois-là, il fit un saut chez Grimalov. Les quatre hommes se mirent en cercle autour d'une des taupinières. Le vétérinaire s'accroupit. Les trois autres l'imitèrent. Il racla la terre avec son couteau, observa les autres trous, mesura mentalement la longueur des galeries, se releva, essuya son opinel sur la jambe de son pantalon et le rangea lentement dans sa poche. Il se tourna vers Grimalov.

«Vous voyez, les trous sont ovales. Cela ressemble à des galeries de rats-taupes.

— Des rats-taupes?

— Oui. On les appelle ainsi parce qu'ils ressemblent à la fois à des rats et à la fois à des taupes. Mais ça n'a rien à voir.»

Bernard écoutait avec intérêt.

«Des rats-taupes? Jamais entendu parler.

— D'habitude, reprit le vétérinaire, ils vivent plus au nord. Ou au sud. Ça dépend. Ce sont des mammifères eusociaux. Une espèce intéressante.»

Franck fut le seul à avouer ouvertement son ignorance.

«Des mammifères comment?

— "Eusociaux". Cela signifie qu'ils vivent en colonie. Un peu comme les insectes: les abeilles ou les fourmis. Ils ont une reine qui s'occupe de la reproduction et les autres sont affectés à des tâches bien particulières : creuser les galeries, attraper de la nourriture, se défendre, etc.

— Et pourquoi viennent-ils particulièrement chez moi ? demanda l'écrivain.

— Je ne sais pas. La mauvaise nouvelle, c'est que je crois me souvenir qu'une colonie moyenne compte une centaine d'individus. Vos ennuis ne sont pas terminés. »

Il se releva. S'adressa à Bernard.

« Toi, tu es tranquille. Le ruisseau délimite leur terrain, peu probable qu'ils envahissent tes terres. » Cette discussion ranima la flamme sombre évoquée précédemment qui couvait chez Franck. Voilà à quoi devait servir son séjour chez son oncle. Tuer ces rats-taupes.

« Tonton, je peux aider M. Grimalov à les chasser ? »

Monique avait tout expliqué à Bernard. Celui-ci n'avait pas jugé le crime si abominable. Ici, à la campagne, il fallait bien composer avec les nuisibles.

Il n'avait pas voulu faire de peine à sa belle-sœur. Il ne l'avait pas contredite, acceptant bien volontiers de garder son neveu. Maintenant, jugeant qu'il n'avait pas le temps de s'occuper de cette affaire, ni rien d'autre de précis à proposer au gamin, il accepta. Si ça pouvait l'amuser...

Quarante-trois minutes.

Franck resta immobile quarante-deux minutes

au-dessus d'une taupinière, la bêche prêtc à frapper. À la quarante-troisième, un bout de chair rosé fit surface. Il exécuta son meilleur swing et dans un bruit mou la chose fut projetée à plusieurs mètres. Elle était horrible : la taille d'un gros rat, la peau plissée d'un gris rosé, pas de poils, des dents de castor, des petits trous noirs en guise d'yeux.

Ce fut son premier trophée.

Cette prise rassura l'écrivain. Ce garçon lui plaisait. Entre eux, le courant passait bien. Il espéra retrouver rapidement la sérénité nécessaire à la poursuite de son œuvre.

Les jours qui suivirent furent une brillante démonstration du génie précoce de Franck Vermüller.

Un stratagème impressionna particulièrement l'écrivain : se doutant que toutes ces galeries étaient reliées entre elles, Franck plaça des tuyaux dans pratiquement tous les orifices. Ces tuyaux furent connectés les uns aux autres. Il suffisait d'envoyer de la fumée pour que toutes les galeries soient enfumées en même temps... sauf une. Celle qui débouchait sur les pales tournantes d'un motoculteur rugissant. La boucherie pouvait avoir lieu.

Grimalov observait Franck avec un intérêt macabre depuis la fenêtre de son bureau.

Malheureusement, un seul rat-taupe fut broyé par cet ingénieux système. Le motoculteur l'aspira par la tête ; celle-ci s'écrabouilla dans un bruit explicite. Le moteur et les pales ne ralentirent pas et le reste du corps fut haché et projeté autour de l'engin. Franck comprit rapidement la redoutable intelligence du rat-taupe. Un éclaireur avait été envoyé au front. Seul. Constatant le massacre, les rats-taupes tunneliers creusèrent rapidement d'autres issues de secours.

Chaque jour, le jeune homme inventa une nouvelle façon de traquer ces bêtes. L'inondation, la capture, l'empoisonnement, l'asphyxie, l'incendie. Sans succès. La ruse et l'anticipation des rats-taupes vinrent à bout de toutes les tentatives. Et Franck, loin de se décourager, s'émerveilla de leur ingéniosité. Son esprit était jour et nuit tourné vers ce nouveau défi. Il devait y arriver. Sa vocation : les exterminer jusqu'au dernier.

Cette inventivité dans le meurtre fascinait Grimalov. Il observait le jeune Franck depuis son bureau avec un intérêt croissant. Un assassin de génie. Qui fit germer en lui l'idée du livre. En moins d'une semaine, quelques jours seulement avant le début du mois d'août, il fit parvenir à son éditeur la trame détaillée de son ouvrage. Une histoire librement inspirée de ce qu'il voyait dans le pré : Franck, des moutons et des rats-taupes hostiles…

RÉMY
LE GRAND TACTICIEN
[Notes pour le troisième roman de Grimalov]

Rémy est un garçon qui joue aux petits soldats. Il recrée de véritables champs de bataille dans sa chambre. Pour ses onze ans, il reçoit un coffret «Napoléon» d'une centaine de pièces : bataillons d'infanterie de ligne, d'infanterie légère, de cavalerie, compagnie d'artillerie à pied et à cheval.

Un dimanche son oncle, officier dans l'armée de terre, entre dans sa chambre.

«Bonjour Rémy, que fais-tu ?

— Je joue à la bataille d'Austerlitz. Napoléon contre Koutouzov.

(L'oncle, amusé :)

— Ça me rappelle mes cours de stratégie à Saint-Cyr. Ils se tenaient en grand amphi le lundi matin. Personne n'écoutait le lieutenant-colonel. Ses explications avaient pourtant du panache. Nous étions tous en train de nous remettre de nos week-ends… agités. Enfin, c'est du passé. La jeunesse… Voyons voir comment tu t'y prends pour mettre la raclée aux Russes.

— Les Russes, ici sur le lit, sont pris en tenaille par cette compagnie d'infanterie et celle-ci. La cavalerie se tient là en renfort et l'artillerie, basée sur la colline (la chaise), est prête à canarder les positions. »

L'oncle passe en revue les soldats.

« Oui, c'est assez fidèle. Mais que font ces soldats ici ?

— Ce sont les cavaliers du général Treilhard. Ils n'ont plus qu'à traverser la rivière.

— Sais-tu que dans la vraie bataille ces cavaliers se positionnaient plutôt par là-bas ? Napoléon les avait sacrifiés pour faire croire aux Cosaques que son armée était en grande difficulté.

— Je sais. Ruse inutile. Que la Grande Armée paraisse faible ou non, les Cosaques auraient de toute façon engagé toutes leurs forces. Moi, j'aurais installé les cavaliers de Treilhard près de la rivière, en réserve, au cas où le repérage de la nuit du 1er décembre aurait mal tourné. Du coup, les Russes n'auraient pas pu se déployer plus au sud. L'affaire était dans le sac avec moins de pertes. »

Rémy montre sa table de chevet en bois blanc qui tient lieu des étangs gelés de Menitz.

L'oncle admire cette tactique élégante et originale.

« Où as-tu lu ça ?

— J'ai imaginé cette combinaison à partir de cette carte dans mon livre d'Histoire.

— Je vais te passer plusieurs livres. Sans doute un peu compliqués pour toi. Tu pourras toujours t'amuser à les feuilleter. »

Le dimanche suivant, l'oncle apporte une vingtaine d'ouvrages de référence de stratégie militaire. De Jules César à Napoléon, en passant par la bataille des Ardennes.

Rémy les dévore. Note ses questions qu'il pose à son oncle le dimanche suivant.

« Pourquoi Hitler n'a-t-il pas anticipé la présence de défenses naturelles dans la bataille des Vosges ? Cela ne lui ressemble pas. Pourquoi, lors de la bataille de Zéla, Jules César a-t-il utilisé trop tardivement les chars à faux ? Il aurait limité ses pertes. Pourquoi les Prussiens ont-ils fait demi-tour par le nord-est à la bataille de Valmy ? Rien ne les y obligeait. C'était un incroyable cadeau pour les troupes de Dumouriez. »

L'oncle, surpris, répond difficilement à ces questions techniques. Il demande conseil à ses collègues de l'état-major. Un jour, l'un des officiers s'étonne de ses questions. L'oncle explique que c'est pour son neveu.

« Quel âge a ton neveu ?

— Un peu plus de onze ans.

— Très drôle. Il prépare Saint-Cyr ?

— Je te le jure : il a onze ans. Je lui ai prêté tous mes livres de Coëtquidan, c'est pour cela qu'il sait si bien les détails.

— Si ce que tu dis est vrai, il faut que je le voie ! Il a du génie, ce gamin ! »

Première visite de Rémy à l'état-major, accompagné de son oncle. Le garçon est introduit à trois officiers supérieurs curieux.

Présentation du commandant Vacheron, responsable des formations.

« Le commandant Vacheron va te montrer plusieurs cartes topographiques de batailles célèbres. Il te posera ensuite une ou deux questions par carte. Juste pour s'amuser. Aucun problème si tu n'y arrives pas, d'accord ? »

VACHERON : « Opération Junction City. Vietnam. 1967. Tu connais ? »

RÉMY : « Non, monsieur. »

VACHERON : « Pour les Américains, il s'agit de prendre le contrôle de cette zone de forêts et de rizières, qui s'étend de là à là. Ici, tu as le village de Ben Suc, six mille habitants dont plusieurs bases de rebelles répartis dans les quartiers. Là, la jonction des rivières Saïgon et ThiTinh. Tu disposes de deux divisions. Comment fais-tu ? »

(Rémy étudie la carte. Les quatre officiers l'observent. Silence pesant.)

RÉMY : « Ai-je des explosifs à ma disposition ? »

VACHERON : « Tout ce que tu veux. »

Rémy pointe du doigt la forêt. Réfléchit à voix haute :

« Moi, j'enverrais une division plein ouest entre la forêt de Thanh-Dien et celle de Ho-Bo. Elle reste immobile. Ça sera l'enclume. L'autre division plein est, c'est le marteau. Elle est mobile. Elle avance vers le village pour le raser. Elle utilisera ses explosifs pour détruire les bases rebelles. La configuration des lieux aide, car les villageois ne pourront que fuir de ce côté. Du coup, la division ouest les arrêtera sans problème. »

VACHERON approuve : « En effet. La tactique du marteau et de l'enclume. Ce n'est pas la meilleure, mais ce fut celle choisie par l'US Army. Bien joué. »

Autre question.

VACHERON : « Changeons d'époque. Bataille de Pydna. 168 avant J.-C. Impressionnante par sa démesure. Trente-neuf mille soldats romains contre quarante-quatre mille Macédoniens. Tu es le général romain. Tu prends ce que tu veux : légions, cavaliers, éléphants. Tu as droit à tout. Le camp macédonien est ici. Les Romains attaquent par là. Que décides-tu ? »

(Regard amusé des officiers. Question piège. Un classique. Long silence.)

RÉMY, hésitant : « Les Macédoniens utilisaient leur célèbre phalange, une colonne de lanciers lourdement armés. Vu le nombre de soldats que vous m'avez indiqué, le front total doit faire plusieurs kilomètres de long. Et la phalange au moins deux. Donc, elle se positionnerait de là à là. »

Les officiers suivent le raisonnement qui s'élabore.

Silence total.

RÉMY : « Au début de la bataille, les Romains sont mal situés puisqu'ils se trouvent sur le flanc de la colline. C'est un désavantage. Cette position nuit à leur mobilité. Ils n'ont donc pas intérêt à attaquer les premiers. Vaut mieux voir venir, surtout si les Macédoniens grimpent la côte... Oui, c'est sûr ! Avec leur armure, leur formation en ligne, et surtout les longues phalanges sur ce terrain en pente... Tout ça peut desservir les Macédoniens, en fin de compte. Gros handicap, même. Donc, ils avancent maladroitement au gré des accidents de terrain. Moi, si je suis le général romain, j'attends un peu qu'ils se découvrent. Puis j'envoie mes éléphants afin de déstabiliser encore plus leur ligne de front. Ensuite, j'abandonne ma formation en ligne pour passer en manipules. Du coup, je suis plus agile. J'attaque les points de faiblesse du front monolithique macédonien. Une fois que je l'ai percé, c'est gagné ! Tout ça peut marcher, à condition que les Romains n'attaquent pas les premiers. »

Applaudissements.

Prise de parole du colonel Perez, le plus élevé en grade :

« Bravo, jeune homme ! Sais-tu que cette question est parfois posée à l'examen de l'école de guerre destiné aux officiers supérieurs ? Pas une seule fois, avant aujourd'hui, je n'avais entendu la bonne réponse. La tienne. Les Romains n'ont pas attaqué les premiers et le combat s'est déroulé exactement comme tu viens de nous le décrire. Félicitations. Et selon toi, qu'aurait-il fallu pour que les Macédoniens gagnent ? »

RÉMY : « Renoncer aux phalanges. »

COLONEL PEREZ : « Oui. Mais ils ne l'ont pas fait car ils n'ont pas su s'a-dap-ter. Vous entendez ? (Il se tourna vers les autres officiers.) S'adapter. C'est la survie. Celui qui ne s'adapte pas meurt. C'est vrai en biologie, c'est vrai en économie, c'est vrai pour les armées. Cette bataille signa la fin de la monarchie macédonienne. »

Rémy rentre chez lui content. Il a vu une caserne.

Le cas de Rémy est débattu au sein de l'état-major.

Hésitation. Décision de lui donner un rôle de consultant en stratégie à titre exceptionnel.

Enthousiasme de Rémy les premières années. Folklore militaire : caserne, secret, treillis…

Arrivée dans l'adolescence. Influence rebelle : Bob Marley, copains/copines, littérature (Céline, Apollinaire ou Boris Vian ? À DÉFINIR).

Trivialité des situations présentées. Trouve les solutions rapidement. Impression d'être dérangé pour rien. Veut avoir une vie d'adolescent normal.

Seize ans. Look Peace & Love. Ne passe pas inaperçu à l'état-major. Star difficile à gérer.

1981, il a dix-sept ans. Appelé d'urgence en pleine nuit en plein conflit Iran-Irak.

Cellule de crise. Présence du général quatre étoiles Ducreux.

LE GÉNÉRAL : « Nous sommes dans la merde. (Silence.) Nos positions se trouvent ici, à environ cinquante kilomètres de Bagdad. Autour de nous, les Iraniens sont embusqués ici, ici et là. (Son index boudiné martèle la carte.) Peut-être aussi là, vers Samarra. Nos troupes se sont laissé encercler comme des bleus. Si on rejoue la partition de Diên Biên Phu, on se retrouve tous demain à éplucher des patates, dans le meilleur des cas. »

RÉMY s'amuse : « Demain j'peux pas, j'ai contrôle de mathématiques. »

L'heure n'est pas à l'humour. Personne ne lui répond. On enchaîne.

Toutes les options sont passées en revue : les montagnes, les galeries, les pistes du désert, les armes iraniennes, les défenses anti-char, les munitions, les agents infiltrés.

Situation critique. Il faut agir impérativement avant l'assaut probable au lever du jour.

Trois heures du matin : Rémy a une idée.

LE GÉNÉRAL : « Allez-y, jeune homme, nous vous écoutons. »

RÉMY : « Très simple. Mon idée, c'est Treilhard. »

Murmure d'incompréhension : « Quoi Treilhard ? »

RÉMY : « Treilhard. »

Froncement de sourcils du général.

RÉMY, insolent : « Vous ne connaissez pas le général Treilhard ? Du temps de Napoléon. »

LE GÉNÉRAL : « Bien sûr que si, je le connais ! En quoi va-t-il nous sortir de ce foutu pétrin ? »

RÉMY : « Pendant la bataille d'Austerlitz, Napoléon a sacrifié son régiment de cavalerie aux Cosaques. Jusqu'à maintenant, je ne comprenais pas son geste… Là, c'est différent. »

LE GÉNÉRAL : « Comment ça ? »

RÉMY : « Sauf votre respect, les Iraniens nous tiennent par les couilles. Notre seule chance est de partir à l'aube avec une dizaine de gars par cette piste et de déclencher le combat avant eux, là, au croisement de ces deux routes. »

LE GÉNÉRAL : « Ces gars vont se jeter droit dans la gueule du loup. »

RÉMY : « Bien sûr. Et pendant qu'ils concentreront le feu des Iraniens, le reste de la troupe partira par ces deux pistes-là, diamétralement opposées. Le premier groupe rejoindra les montagnes ici, et se dispersera dans les galeries qu'ils connaissent bien. Le second groupe, véhiculé, retrouvera rapidement cette route où les renforts pourront venir les extraire. Quatre-vingts pour cent de nos soldats seront sauvés, mon général. »

LE GÉNÉRAL : « En gros, vous me demandez de sacrifier des hommes ? »

RÉMY : « Aux échecs, ça s'appelle un gambit. »

LE GÉNÉRAL : « Jamais je n'enverrai des hommes se faire descendre comme des lapins. Des idées comme ça, je ne veux même pas les entendre ! »

RÉMY, sans s'émouvoir : « Il n'existe pas d'autre solution. »

Il sourit. Il repense au dimanche où son oncle l'avait vu rejouer la bataille d'Austerlitz. La boucle est bouclée. De Treilhard à Treilhard. Plus rien ne le retient ici.

Quatre heures du matin. Faute de mieux, le général Ducreux transmet les ordres relatifs au plan de Rémy – qu'il désigne comme l'Opération Murène.

« Formez un détachement de dix personnes. La mission est de se rendre à deux kilomètres au nord-est à l'intersection des routes, et d'ouvrir le feu sur les positions ennemies. »

Cinq heures du matin. Dix hommes emmenés par le lieutenant Derbier quittent leur camp. Maintien héroïque de leur position pendant près de deux heures. Permet aux soixante-sept autres soldats de quitter ce guet-apens. Les dix soldats seront tous décorés de la Légion d'honneur. À titre posthume. [Ajouter une morale du type : « L'Histoire ne dit pas si cela consola les veuves. »]

Le lendemain de l'Opération Murène, Rémy ne se présente pas à son contrôle de mathématiques. Le lycée prévient la famille qui prévient l'état-major. Tout le monde le recherche. Il reste introuvable.

Au bout de deux mois, on abandonne les recherches. On craint le suicide ou un accident tragique.

Quinze ans plus tard, André Vacheron, devenu lieutenant-colonel à la retraite, fait une randonnée au pic de Vignemale, dans les Pyrénées. À la recherche d'une source d'eau, il rencontre un berger.

ANDRÉ : « Ma gourde est percée. Pouvez-vous m'indiquer la source ou le ruisseau le plus proche, que je puisse me désaltérer ? »

Le berger fixe le randonneur : « Cher commandant ! Comment allez-vous ? »

Surprise de Vacheron.

« Je suis maintenant à la retraite. Il n'y a plus de commandant qui tienne… Nous nous sommes déjà croisés ? À Toul peut-être ? »

« Vous n'y êtes pas. Je suis le petit Rémy. Celui

dont vous avez troublé la conscience avec vos batailles diaboliques. »

VACHERON, incrédule : « Comment est-ce possible ? Vous aviez disparu. Tout le monde vous croyait mort. Certains pensaient même pire : passé à l'ennemi ! »

RÉMY : « Non. Depuis tout ce temps, j'étais ici ».

L'ancien militaire regarde autour de lui : « Comment ça ici ? »

RÉMY : « Ici, dans cette vallée. Je suis berger. »

VACHERON : « Mais pourquoi ? Votre avenir était tout tracé. Vous seriez devenu le plus jeune général de tous les temps ! »

RÉMY : « Je sais. Au lendemain du sacrifice d'Irak, j'ai fugué. Je me suis rendu compte que cette idée venait de moi. Ces gens-là étaient morts par ma faute. Le sort de ces soldats, de leurs femmes, de leurs enfants, s'est décidé dans cette salle d'état-major entre deux et trois heures du matin. Sur le chemin du retour, j'ai réfléchi. Cette vie qui s'annonçait, toute tracée, n'était pas faite pour moi. Je n'avais pas envie d'être responsable de la mort de qui que ce soit, bons ou méchants. »

VACHERON : « C'est la condition des militaires. On l'accepte ou pas. C'est la règle : si l'on donne la mort, c'est que l'on accepte de la recevoir. »

RÉMY : « Je ne l'ai donc pas acceptée. De surcroît, soyons francs, la tactique militaire reste un art mineur. »

VACHERON : « Comment cela ? »

RÉMY : « Aujourd'hui on n'invente plus grand-chose. Celui qui détient l'armement le plus performant détruit les infrastructures de l'autre. Et l'autre réinvente la guérilla urbaine avec des moyens du siècle dernier. Et ça s'enlise. Et ça traîne… Au moins, du temps d'Alexandre le Grand ou de Jules César, ça avait de la gueule. Quarante mille soldats face à face dans un grand champ. La victoire dépendait de la tactique, de vrais choix de positions, d'attaques, de défenses. Une partie d'échecs puissance dix. Aujourd'hui, sur les cartes d'états-majors, nous ne faisons qu'imiter ou reproduire les figures héritées de quelque trois mille ans d'expérience. »

ANDRÉ VACHERON semble vexé : « Même si les conflits modernes sont moins intéressants que les grands classiques, je ne vois pas en quoi c'est plus excitant de rester le cul sur une chaise à surveiller des moutons. Veuillez m'en excuser, je ne vois pas l'intérêt. »

RÉMY : « D'abord, je n'utilise jamais de chaise. Ensuite, j'ai mené ici mes plus glorieux combats. J'ai mis des mois à bâtir des plans de bataille, des tactiques tellement astucieuses qu'il fallait que je me relise plusieurs fois avant d'avoir la distance nécessaire pour apprécier mes découvertes. Là, et uniquement là, j'ai pu appliquer mon génie. »

VACHERON : « Je ne comprends pas. Contre qui vous battez-vous ? »

RÉMY : « Contre les loups. »

VACHERON : « Les loups ? »

RÉMY : « Oui. Cela fait quinze ans que je me bats contre les loups. D'égal à égal. Sans arme, sans piège. Je respecte mon ennemi et son intelligence. Mon armée est constituée de mes trois chiens : deux borders collies et un superbe kelpie que j'ai fait venir d'Australie. Sans compter ma petite personne, bien sûr, qui modestement joue le rôle de général de cette armée. »

VACHERON : « Vraiment, je ne comprends pas. »

RÉMY s'anime : « Vous voyez, toute cette vallée est mon terrain de bataille. Je dispose de deux troupeaux de soixante bêtes, mes deux centuries en quelque sorte. Chacune d'elles est divisée en cinq unités auxiliaires de douze moutons. En fait, ce n'est pas tout à fait exact, cette organisation varie pratiquement chaque mois pour s'adapter à l'environnement. Mais je ne vais pas vous noyer sous les détails : l'idée est de respecter un équilibre entre l'inévitable instinct grégaire et les risques encourus. À moi de mettre correctement en place mes unités dans le décor. À moi d'installer mes chiens là où ils doivent être : à quel moment de la journée doivent-ils surveiller telle centurie, telle unité ? À moi de décider des horaires de mon troupeau, de mes rondes. À moi de sentir d'où viendra la prochaine attaque. Je suis responsable de la vie de mes moutons et de mes fidèles centurions. C'est un boulot à plein temps. »

VACHERON : « Il doit y avoir beaucoup de pertes... »

RÉMY : « Les premières années, j'ai pleuré quelques moutons. Je n'arrivais pas à comprendre la stratégie des loups. C'est malin, ces bêtes-là, vous ne pouvez pas imaginer... Sun Tzu a dit : "Connais l'adversaire et surtout connais-toi toi-même et tu seras invincible." J'ai mis quelques années à comprendre le vrai sens de cette maxime. J'étais focalisé sur la psychologie du loup, je voulais comprendre sa logique d'attaque. J'avais sous-estimé mes forces : les moutons sont des bêtes sensibles. Très sensibles. Vous savez, on dit souvent que les baleines ou les rats anticipent les tsunamis mieux que les humains. Bon Dieu ! Mais les moutons... Ces bêtes ont un foutu sixième sens pour le danger, mais alors, qu'est-ce qu'elles sont pataudes ! Elles oublient tout, elles ne mettent rien en mémoire. Pas le moindre truc. Il faut apprendre à interpréter leurs moindres faits et gestes. Il faut leur faire confiance. Seuls les moutons ont la clef, l'instinct, moi, je ne fais que mettre tout cela en musique, je bats la mesure de cette grande harmonie. »

Silence admiratif.

VACHERON : « Et maintenant ? »

RÉMY : « Je touche du bois, c'est la deuxième année sans aucune perte due aux loups. J'ai gagné. J'ai livré ma plus belle bataille. Je pense avoir appliqué dans ces montagnes les meilleures tactiques de l'Antiquité, de l'Empire et du XXᵉ siècle... Cela m'apporte plus de satisfaction que tous les galons ou toutes les médailles du monde. Comprenez-moi bien, je suis le maître ici. »

VACHERON : « Qu'allez-vous faire maintenant que la bataille est gagnée ? »

RÉMY : « Décidément, c'est une idée fixe chez vous ! La guerre n'est jamais finie. Seule la mort des soldats tombés est définitive. Ne jamais croire qu'une victoire suffit et se suffit. L'ennemi évolue, il analyse et réagit. Il s'adapte lui aussi. Ne jamais sous-estimer son adversaire. La prochaine fois, l'ennemi frappera là où je ne l'attendrai pas. Et, si je ne suis pas prêt... »

VACHERON : « Vous ne pensez donc pas qu'une victoire peut-être décisive, définitive ? »

RÉMY : « Non. J'y ai beaucoup réfléchi. La seule façon d'affaiblir un adversaire sur la durée serait d'avoir un espion haut placé qui transmettrait toutes les stratégies avant même que le combat ait lieu. La victoire par l'absence de conflit. Et encore. L'homme est faillible. Même un espion cybernétique serait faillible, car conçu par l'homme. Il ferait un jour ou l'autre une erreur et serait aussitôt démasqué. Que tous ces équilibres sont fragiles ! »

VACHERON : « Un espion cybernétique ? »

RÉMY : « Oui. Une histoire que j'ai lue… »

LE ROBOT
ÉTAIT PRESQUE PARFAIT

[Addition aux notes de Grimalov]

[Insérée dans l'histoire de Rémy, l'aventure de l'«espion cybernétique» recycle un récit présenté des années auparavant par Grimalov à un concours organisé par un ami, professeur de philosophie, grand amateur de jeux vidéo et de science-fiction.]

Il était une fois Alceste, un roi toujours en guerre avec le royaume *d'à côté*, que gouvernait le roi Gredin. Ce conflit durait depuis des dizaines d'années, alternant batailles perdues et terres reconquises. Personne ne savait plus pourquoi ni quand cette guerre avait commencé : elle faisait partie de la vie, tout comme l'air, l'eau ou les impôts.

Un jour béni, Alceste convoqua Tricoste, le célèbre inventeur de robots.

«Il me faut un robot-espion : un humanoïde parfait, impossible à distinguer d'un humain. Ce robot s'enrôlera dans l'armée de Gredin et y

deviendra officier supérieur. De la sorte, il parti-
cipera aux conseils de guerre et nous transmettra
des secrets. Ainsi, affaiblirons-nous durablement
nos ennemis. Notre peuple aura enfin la victoire
qu'il mérite. »

Tricoste travailla nuit et jour pendant plusieurs
mois pour construire ce robot. Il proposa plusieurs prototypes. Le premier avait une démarche
si saccadée qu'un enfant aurait détecté la supercherie. Le deuxième se déplaçait harmonieuse-
ment mais ne pouvait pas, dans le même temps,
se mouvoir et penser. À chaque question, il se
figeait, le temps de réfléchir. Inconcevable. Le
troisième modèle fut pire. Le quatrième possédait un savoir exhaustif, une banque de données
vertigineuse. Quiconque s'entretenait avec lui
finissait par être gêné. On avait l'impression de
discuter avec un livre : trop de détails, jamais
d'approximation, pas la moindre faute. Rien
d'humain. Échecs similaires avec le cinquième, le
sixième, le septième… Le huitième modèle était
plus réussi. Il se trompait de temps en temps…
mais le faisait trop grossièrement. Après avoir
émis de profondes réflexions philosophiques,
n° 8 se plantait tout à coup dans une opération de
base ou faisait une énorme erreur de grammaire.
N° 9 et n° 10 ne convainquirent pas davantage.
N° 11 était presque parfait… mais, précisément,
trop parfait : il prenait toutes ses décisions avec
une rare maîtrise du calcul des probabilités :

l'absence de facteurs sociaux et émotionnels trahissait la présence d'un logiciel.

Vinrent n° 12, n° 13, n° 14... Puis ce fut le
quinzième modèle. Une quasi-perfection. Il avait
une sensibilité. Une femme du laboratoire en
tomba même amoureuse mais sa peau froide et
son parfum métallique n'étaient guère enga-
geants. Et la série se poursuivit... On crut même
que n° 31 touchait à la perfection. On avait
cultivé sur lui une peau humaine, un flux de sang
régulier irriguait son faux organisme. Des bacté-
ries s'y développaient. Il dégageait un parfum
suave...

Ce robot était une merveille biotechnologique.
Il savait tout mais le savait avec intelligence et
modération. Il séduisait par son charme et par sa
conversation. Malheureusement, des fonctions
de base lui manquaient : se nourrir, se laver, aller
aux toilettes. Au bout d'une dizaine d'heures,
cela finissait par se remarquer.

Aussi les ingénieurs se remirent-ils à l'ouvrage.
Une dizaine de versions se succédèrent encore,
avec des améliorations subtiles en physiologie, en
psychologie, en connaissances diverses autant
que variées. La bibliothèque d'Alceste fut enre-
gistrée dans une immense mémoire cybernétique. La timidité, l'audace, l'envie, la passion, la
mesquinerie : tous ces comportements humains
furent analysés, mis en équations et programmés
dans le grand corps métallique. La perfection

était telle que le robot pouvait simuler les symptômes de toutes les maladies connues et réperto-
riées dans la *Grande encyclopédie de médecine*.

Ce fut le cinquante et unième modèle. Et il
était parfait. Alceste le baptisa Actarus.

Par une nuit de lune rousse, on parachuta le
robot Actarus en territoire ennemi, au-dessus
de la forêt du Cygne noir. Actarus marcha jusqu'au premier village et se rendit attachant dans
un monde pourtant hostile. Comme prévu, ses
connaissances et son charisme lui permirent de
gravir rapidement l'échelle sociale. Il s'engagea
dans l'armée et devint, en moins de trois ans,
membre permanent du Conseil de guerre du
roi Gredin. Actarus portait désormais le grade
convoité de Grand Commandeur du Cheval
Persan.

Le plan fonctionnait à merveille.

Un matin d'octobre, Gredin fut pris d'une
grande excitation. Il exultait. Son Grand Stra-
tège avait imaginé une attaque diabolique : une
invasion surprise qui confondrait pour de bon
l'arrogance d'Alceste, le roi vaurien. Actarus
reçut l'ordre de se présenter à sept heures pour
faire le point dans la grande salle pourpre du
palais.

Du côté d'Alceste, on activa sans tarder le
micro du robot-espion. Le roi, Tricoste et tous
les généraux s'étaient rassemblés pour suivre la

réunion de la salle pourpre. Belle occasion de prendre à revers Gredin et d'en finir définitivement avec sa manie belliqueuse.

6 h 55.

Actarus présente son badge à l'entrée de l'imposant bâtiment. Il pose son doigt sur la plaque de verre. Son empreinte est reconnue. Le sas s'ouvre. Il monte l'escalier en marbre noir. Le voici dans la salle pourpre. Il salue ses collègues. Comme le roi tarde, Actarus en profite pour aller soulager sa vessie qui, bien que cybernétique, envoie des signaux d'engorgement programmés.

Le voici dans les toilettes royales. Il urine consciencieusement.

À peine a-t-il terminé que le roi Gredin fait son entrée, pressé par le même besoin – non cybernétique. Gredin voit le fameux Actarus qui remonte sa braguette. Il l'apostrophe amicalement : « En forme pour cette grande journée ?

— Toujours prêt pour vous servir, majesté. »

Sur ce, Actarus s'avance vers Gredin et lui tend sa main droite.

Le roi marque un arrêt.

Comment peut-on présenter à Son Altesse une main qui vient de toucher un appendice intime d'une propreté peut-être suspecte ? On crie au sacrilège, au blasphème, à l'hérésie, à l'anarchie, et surtout à l'outrage royal. Gredin ordonne naturellement l'exécution immédiate d'Actarus pour ce geste abject. Pour l'exemple. La cruauté n'en impose que pratiquée sans frémir et sans hésiter. Voici Actarus décapité. Quelle surprise ! Au centre du cou sanglant (car le derme artificiel du robot était irrigué de faux sang), le bourreau découvre des fibres optiques et de très fins câbles.

Gredin comprend tout : Actarus n'était qu'un robot-espion au service d'Alceste.

L'attaque surprise est annulée. L'incident s'ajoute à la liste déjà longue des contentieux.

Les deux pays s'enlisèrent encore un peu plus dans la méfiance et la haine...

RÉMY
LE GRAND TACTICIEN (II)

[Suite et fin des notes
pour le troisième roman de Grimalov]

... Revenons à ce petit grain de sable (dit Rémy – tandis que Vacheron, interloqué, tente de rassembler ses idées et de reprendre ses esprits)... Cet événement malheureux ne fut possible que dans l'intervalle qui sépare l'urinoir du lavabo. Soit deux mètres et trois secondes. Si le roi était apparu quelques secondes plus tard, Actarus aurait eu les mains propres.

La guerre changeait de face. Si le roi était apparu quelques secondes plus tôt, Actarus, les mains prises, n'aurait pas esquissé ce geste hautement inapproprié.

Pour autant, Actarus n'a pas failli. Durant son existence cybernétique, il a respecté toutes les consignes électroniques que son génial créateur avait programmées. Une seule et fatale erreur. Et cette erreur reposait sur un oubli de l'ingénieur face à l'évidence d'une règle d'hygiène et de savoir-vivre :

« Tu te laveras les mains après t'être soulagé et avant de saluer quelqu'un. »

Une maxime d'une évidence telle qu'elle ne pouvait figurer dans les ouvrages consultés par l'inventeur. Rémy marque une pause stylistique.

« Il n'existe pas de savoir absolu. Dans un monde d'interactions infinies comme le nôtre, croire que tous nos actes obéiraient à un déterminisme intégral est le contraire de l'exactitude. Un vieux rêve. Une utopie… Pour revenir à votre question, je ne pense pas qu'une victoire puisse être définitive. Nul n'est à l'abri d'une erreur, d'une faute, d'un oubli qui ruine les efforts de toute une vie. Navré pour M. Laplace et ses théories compliquées… »

Vacheron vacille. Loin de songer à Pierre-Simon de Laplace et au fameux *Essai philosophique sur les probabilités*, l'ancien militaire croit qu'il s'agit là d'un certain conscrit nommé Laplace, obscur personnage qui se piquait de radiesthésie.

« Vous trouverez un ruisseau pour vous désaltérer à une centaine de mètres en contrebas. Vous ne pouvez pas le manquer. Ravi de vous avoir revu. Adieu. »

FIN DE L'ENTRETIEN.

[Terminer ici par quelques considérations sur l'immensité des montagnes, une analogie entre l'intelligence de Rémy et la vacuité des occupations de l'Homme.]

LES RATS-TAUPES
NE MANGENT PAS
DE BAIES D'AÇAÏ

Les notes de Grimalov plurent à Franck
Vermüller.

Confortablement installés dans une paire de
fauteuils, ils en discutèrent avidement. Franck
aimait ces moments d'intimité avec un adulte qui
ne le jugeait pas et avec qui il pouvait librement
exprimer ses idées méphistophéliques. De son
côté, comme nous l'avons vu, Alain appréciait
l'originalité du garçon. Franck admirait particulièrement la stratégie du berger : plutôt que se
perdre dans les sous-ensembles, trouver la solution d'ensemble ; plutôt que traiter les parties,
considérer le tout. Là se trouvait à coup sûr la
solution au problème des rats-taupes. Le Napoléon des alpages n'utilisait ni fusil ni pièges. Il se
contentait d'un placement exact du troupeau res-
pectant l'harmonie du décor, la psychologie des
divers acteurs ainsi que quelques règles élémen-
taires du grégarisme ovin.

C'était l'évidence même. Toutes les ruses

imaginées pour tuer les rats-taupes étaient des greffons, des apports extérieurs, artificiels, sans cohérence avec l'environnement de l'adversaire. Une violation de la complétude du monde ratesque et taupin. Voilà pourquoi ces rongeurs intelligents étaient devenus si méfiants. Il fallait revenir aux sources. Penser une attaque simple, implicite, qui respecterait leur écosystème.

Le lendemain, Franck se rendit à la bibliothèque du village pour se renseigner davantage sur l'ennemi.

La bibliothécaire lui lança un large sourire et se replongea dans son roman. Seul lecteur dans cette vaste pièce, il attrapa une encyclopédie et s'installa près d'une fenêtre pour bénéficier de la clarté du jour.

Le rat-taupe est insensible à la douleur ; il peut vivre trente ans (un record pour des rongeurs). Cette espèce, de surcroît, ne développe aucun cancer. À ce jour, les scientifiques n'expliquent pas cette particularité, car le foie du rat-taupe contient paradoxalement de nombreuses substances oxydantes, habituellement génératrices de cancers.

Franck relut cette phrase plusieurs fois. Cette histoire de substances oxydantes lui rappela une leçon de biologie mentionnant les baies d'açaï, des fruits puissamment antioxydants mais qui pouvaient – paradoxalement, là encore – devenir toxiques dans certains cas.

Il ouvrit ensuite un imposant livre de botanique.

Euterpe oleracea, *également nommé açaï, est une espèce de palmier de la famille des Arecaceae, originaire d'Amérique du Sud... Le fruit, une baie de couleur pourpre, ressemble à une myrtille... La baie d'açaï contient une douzaine de flavonoïdes et de faibles quantités de resvératrol.*

C'est ce dernier mot qu'il recherchait.

Il tourna frénétiquement les pages du gros livre.

Resvératrol *: polyphénol de la classe des stilbènes présent dans certains fruits comme les raisins, les mûres ou les cacahuètes. On le retrouve en quantité notable dans le vin où sa présence a été évoquée pour expliquer les effets bénéfiques pour la santé d'une consommation modérée de vin... La molécule présentant deux formes d'isomères... La forme cis de ces isomères, instable, supporte mal la chaleur et les milieux oxydants.*

Franck se souvenait parfaitement de ses cours : cette molécule se dégrade dans un milieu oxydant. Donc dans le foie du rat-taupe...

Il poursuivit sa lecture.

... L'isomère cis-resvératrol *instable mute, ce qui produit un effet sur les plaquettes sanguines entraînant des saignements internes...*

Franck leva la tête et réfléchit. Cela pouvait fonctionner. Si un rat-taupe mange suffisamment de baies d'açaï, se dit-il, le resvératrol sera présent dans son organisme. Or, sous l'effet des substances oxydantes internes de son foie, la forme *cis* du resvératrol mutera et provoquera des hémorragies.

Ce qui devrait tuer le rat-taupe. Reste à savoir si ces bestioles aiment les baies d'açaï. Ça valait le coup de tenter. Il nota frénétiquement l'idée dans son carnet, fit quelques photocopies des pages du livre et courut chez Grimalov pour l'informer de son plan.

L'homme déjeunait dans sa cuisine. Franck l'apostropha avec enthousiasme. L'écrivain écouta avec attention. Sur le papier, cela ressemblait au crime parfait. Dans l'heure qui suivit, Grimalov conduisit Franck en ville où ils achetèrent cinq kilos de baies d'açaï.

De retour, ils déposèrent une poignée de baies dans chacun des quarante trous ovales. Car il y en avait maintenant quarante qui déformaient le pré.

Ils attendirent. En retenant leur souffle.

Un jour.

Deux jours.

Trois jours.

Au quatrième jour, ils découvrirent un rat-taupe à l'entrée d'une des galeries : entre ses deux grandes incisives, un filet de sang s'écoulait. Franck sut alors qu'ils avaient gagné. Les nuisibles n'avaient pas flairé le danger de cette nourriture naturelle. Les rongeurs sont instinctivement attirés par l'odeur de l'acide oléique contenu dans ce fruit : cette graisse végétale leur est particulièrement utile pour réguler leur température, ce qu'ils doivent obligatoirement faire.

Mais la molécule présente dans la baie d'açaï avait aussitôt réagi et provoqué les hémorragies. Le reste de la colonie mourut sous terre dans les insondables galeries. Au bout d'une semaine, aucun nouveau dôme n'était apparu. Ils rebouchèrent un à un les trous. Les rats-taupes ne mangent pas de baies d'açaï, Franck s'en souvint toute sa vie.

SPALAX RESEARCH INC.

Comme convenu, Franck revint chez lui pour la rentrée des classes.

Il gardait un excellent souvenir des recherches effectuées à la bibliothèque du village : inspiré par l'ambiance, le silence monacal du lieu, la lumière tamisée filtrant par les fenêtres, la connivence intellectuelle implicite avec la bibliothécaire... Et le résultat ! Il comprit alors la diabolique utilité du savoir. Un véritable levier pour démultiplier ses forces mentales. Un moyen de décupler son imagination fertile. Dès son retour, il abandonna ses mesquines expériences sur les insectes et revint méthodiquement à ses cours de biologie et de chimie. Sa traque des rats-taupes avait été une expérience fondatrice. Le génie a besoin de connaissances pour se développer et atteindre sa pleine maturité. L'école serait son engrais.

Hasard des circonstances, en cette rentrée Franck tomba sur un nouveau professeur de biologie à l'enthousiasme charismatique. Le genre de prof qui tient en haleine toute une classe d'adolescents pendant une heure rien qu'en racontant la reproduction des cellules procaryotes. De son côté, l'enseignant eut tôt fait de discerner en son élève un don naturel, une intelligence et une soif de connaissance peu communs. Il le prit sous sa coupe. Pendant ses heures de permanence, Franck le rejoignait dans le laboratoire de biologie pour l'écouter religieusement parler des mœurs nuptiales du *Dytiscus marginalis*, comprendre la phylogenèse de l'œil du poulpe et découvrir l'avantage sélectif (peu évident) des bonds de l'antilope *Antidorcas marsupialis* à l'approche d'un prédateur. Une vocation était née.

L'air de rien, Monique observait attentivement l'évolution du caractère de son fils. Au-delà de ses excellents résultats scolaires, elle nota son apparent désintérêt pour les jeux macabres de jadis. Et l'adolescence fila doucement sans autre accroc.

Franck grandit, entama et suivit de brillantes études d'ingénieur agronome. Son diplôme en poche, il partit aux États-Unis où il créa une société de biotechnologie, Spalax Research Inc. En anglais, *spalax* signifie « rat-taupe ». Quinze ans plus tard, il était à la tête de la plus grande entreprise de pesticides du monde. Il pesait presque six milliards de dollars. Partout sur la Terre, ses produits contribuèrent à l'extermination de plus de sept cents millions de nuisibles par an.

LÀ OÙ REGARDE L'OISEAU

«Son talent, sa réussite firent la fierté de sa famille, et surtout de sa mère…, conclut l'infatigable avocat de Paul Sheridan dans l'objectif de relativiser la perversité de son client. Oui, mesdames et messieurs, le monstre qui sommeille en chacun de nous ne prend pas toujours la pire des formes…»

L'heureuse conclusion de la fable de l'ennemi des rats-taupes ne modifia en rien le cours du procès de Paul. L'accusation argua qu'un futur potentiel ne permettait pas d'abolir un passé cruel, accusa la défense d'être elle-même perverse dans l'insoutenable comparaison entre un tueur de nuisibles et un assassin de petites filles.

L'avocat de la défense sourit : il n'était pas idiot. En bon professionnel, il savait mieux que personne l'inanité de ses diversions et de l'apologie de l'empereur des pesticides. Il avait amusé la galerie toute la matinée uniquement pour gagner quelques heures. Il attendait l'après-midi : plus exactement, que le Brésil se réveille.

À quinze heures, l'avocat fit un clin d'œil à son client. Deux représentants du ministère attendaient dans le couloir. Ils demandèrent à parler au président, lors de l'interruption de séance. Celui-ci les écouta poliment, hocha la tête à deux reprises, se tourna vers l'assesseur et lui glissa quelques mots inaudibles. Laborieusement, il invoqua l'apparition d'un élément nouveau modifiant le cours du procès qui, de ce fait, était suspendu. Les parties civiles s'indignèrent.

La salle tempêta. Le président fit évacuer. Au vrai, la chancellerie – elle-même sous la pression des ministères de l'Intérieur, de la Défense, de la Santé et des Affaires étrangères – avait exigé, sinon un report *sine die*, du moins un délai suffisamment long pour que Paul Sheridan fût transféré au Brésil.

Officiellement, on l'envoyait sous escorte militaire dans le service de recherche médicale du Dr Álvares, de l'hôpital Samaritano à Rio de Janeiro, pour y suivre des examens d'une très haute et secrète importance.

Le Dr Álvares dirigeait un service de génétique de renommée mondiale. Son équipe venait de mettre au point un protocole de tests capable de détecter les évolutions génétiques d'un individu. Pour des raisons évidentes, tout le monde s'intéressait au syndrome Sheridan – que ce fût pour la santé publique, la détection du mensonge ou l'espionnage, ou bien d'autres choses encore. Les tests montreraient si le syndrome de Paul était dû à une mutation génétique prénatale ou à un traumatisme postnatal. Bref, le Brésil avait la technologie, la France avait le patient.

C'était un bon deal.

À cette époque, une commande de Rafale traînait, comme il se doit avec ce légendaire avion de combat, de négociation en négociation. La célérité à laquelle le gouvernement tricolore répondrait à la demande d'Álvares influencerait sans doute le choix tactique de l'armée de l'air brésilienne. C'était une autre retombée possible. En somme, tout le monde, sauf les plaignants, avait intérêt à ce que le voyage se fît. Par quelques indiscrétions, l'avocat de Sheridan avait eu vent la veille au soir de ces tractations. On a vu quel parti il en tira.

Il avait été convenu trois séjours d'une semaine, faits à un mois d'intervalle. Entre chaque visite, le laboratoire du Dr Álvares analyserait les millions de données récoltées.

Paul Sheridan partit le 23 mai 2009, en compagnie de deux gendarmes. Le capitaine affichait la trentaine, d'allure sportive. L'adjudante, un peu plus jeune, le regard sévère, dégageait un fort potentiel érotique avec ses longs cheveux blonds noués.

Le rythme de cette première semaine d'examens fut tranquille.

Paul passa ses journées à attendre dans une salle qu'une infirmière le pèse, le mesure ou lui fasse quelques prises de sang. Les deux militaires passèrent la semaine à ses côtés, à parler d'amis communs, à en critiquer d'autres et, alternativement, à s'émerveiller ou s'indigner des coutumes brésiliennes. Paul restait silencieux. Il observait.

Il fut soulagé de reprendre l'avion le dimanche soir. Les tests n'étaient pas fatigants, mais les heures d'attente et cette impression d'être un cobaye lui pesaient.

Dimanche 31 mai 2009 à 22 h 05. Paul s'installe à sa place, au siège 21B.

Il se trouve au milieu du rang de gauche, entre ses deux gardes. Il demande poliment la permission à l'adjudante de passer côté hublot. Elle lui cède sa place et s'installe près du capitaine. Paul se dit que ce voyage a singulièrement rapproché les deux militaires. Il ne pouvait lui échapper que les joues de Zoé (tel est son prénom) se coloraient dès qu'elle approchait le capitaine. Mais Paul tourne la tête, plaque son front contre la vitre et se désintéresse de cette question.

L'avion décolle à 22 h 29.

Vers une heure du matin, Paul ne dort toujours pas.

Tous les passagers ne voient que la nuit noire. Lui distingue les couleurs des nuages. Celles-ci sont magnifiques. Son nez reste collé au petit hublot.

Un émerveillement : toutes ces nuances de blanc, de rose, de bleu, de noir qui ondoient sous ses yeux.

C'est l'avantage de voler de l'ouest vers l'est : le temps file deux fois plus vite et toutes les phases colorées de la nuit se déroulent en accéléré. Vers une heure trente, quelque chose l'intrigue. Au loin, les nuages deviennent bleu et rouge. Presque des couleurs primaires. Cela trahit une énorme différence de température entre le haut et le bas des cumulonimbus. Parfois, ils deviennent jaune vif, l'espace de quelques millisecondes, naissance d'un éclair. Première secousse. L'adjudante grogne, soulève son masque anti-lumière. Ces quelques heures de sommeil ont chiffonné sa crinière blonde. Paul en profite pour attirer son attention.

« Regardez les nuages là-bas, ce n'est pas normal. »

Elle se penche de mauvaise grâce vers Paul.

« Je ne vois rien, il fait tout noir.

— Là-bas. Vous ne voyez pas les couleurs ? C'est puissant !

— Euh, non. C'est tout noir.

— Oui, soupire Paul. Oui, bien sûr. »

La belle remet son masque, non sans avoir regardé furtivement le capitaine qui dort à sa droite. L'avion fonce vers ces masses nuageuses tricolores. Les turbulences s'accentuent. L'avion entre au cœur de la perturbation. Les secousses deviennent insupportables. Des montagnes russes. Quelque part derrière Paul, un enfant pleure, vomit, ses pleurs redoublent. Paul n'a pas peur. Il profite. Il se régale du jeu de couleurs incroyables qui zèbrent le ciel. Il se trouve au centre de tout, dans l'œil d'un kaléidoscope géant. Jamais de sa vie il n'a vu pareille beauté. Pourvu que ça dure. L'avion décroche. L'alarme retentit. Les passagers hurlent. L'adjudante agrippe l'avant-bras du capitaine. Puis l'avion se stabilise un bref instant. Se cabre ensuite étrangement, dans l'autre sens. Des compartiments s'ouvrent, des bagages s'écrasent dans l'allée centrale. Les haut-parleurs diffusent un message inaudible, couvert par les cris et les pleurs. Seul Paul garde son calme. Le nez écrasé contre la vitre, il semble flotter ; il est dans un autre univers. Cette beauté lui fait monter les larmes aux yeux. Il remercie Dieu de lui avoir permis de voir cela. Une fois. Une seule fois. Qu'importe le reste, il sait désormais les nuances de la *Beauté*. Toutes ces pitreries de peinture vivante lui semblent désormais futiles et vaines.

Les panneaux SORTIE clignotent au-dessus

des issues de secours, les masques à oxygène tombent. L'avion pique du nez dans un vacarme assourdissant. Hurlements. Dieu, spectateur, peut s'interroger sur l'identité de ce passager béat face à la terreur. Noé apaisé dans la tempête. À la seconde même où l'avion s'abîme en mer, Paul est le plus heureux des hommes.

Il a l'esprit serein, comme après la jouissance. Deux cent vingt-huit passagers meurent. Paul avec le sourire.

Qu'ils reposent en paix.

LE CONTENU
DU DISQUE DUR

[Mémento : « Toi, petit, si tu flirtes trop avec la vérité, attends-toi à devenir fou. »]

Ainsi, l'Arnaqueur avait-il en quelque sorte maudit Paul Sheridan, le jour où celui-ci avait deviné l'existence de l'ordinateur, derrière l'épaisse barrière du mensonge. La police avait retrouvé ce portable où se trouvaient codés les secrets du détrousseur de veuves. L'Arnaqueur ne sut jamais l'impact de sa réflexion sur Paul Sheridan. Personne ne l'informa de sa mort, ni du rapt de la petite Annabelle. De toute façon, l'Arnaqueur avait été confondu bien avant les forfaits du garçon aux yeux spectraux : ce que la police découvrit dans son ordinateur modifia le cours de son procès.

Il y avait, extrêmement bien rangés, des dossiers informatiques pour chacune des cinq vieilles dames flouées. Dedans, des photos, des articles de journaux ou des archives scannés. Tous les documents concordaient.

De 1941 à 1945, les maris des plaignantes, loin d'avoir été les héros dépeints par l'Arnaqueur, avaient tous profité de la déportation pour s'approprier des biens juifs. Certains s'étaient octroyé des appartements, des bijoux, des œuvres d'art ou du mobilier de valeur. Deux cas relevaient même de l'usurpation d'identité : à la Libération, deux des plaignantes, forcément complices, avaient changé de patronyme pour voler celui d'une famille disparue. Pourquoi la défense n'avait-elle pas présenté ces faits qui auraient certainement atténué les charges retenues ?

Ce point resta un mystère pour la police.

Les enquêteurs déchiffrèrent une liste de comptes informatiques associés à des vols d'identité sur un célèbre réseau social. Le fichier contenait toutes les informations horodatées nécessaires pour qualifier le délit (adresses IP des pirates, comptes des victimes, etc.). Visiblement, l'accusé était un justicier moderne, une sorte de Robin des Bois, spécialisé dans la traque des fraudeurs et des menteurs.

La police fut particulièrement intriguée par une vieille lettre datant de 1906, archivée sous forme d'images et rangée dans un fichier nommé « Rendez-vous Sharkey 3 décembre à Liège ». (Sharkey, ce riche marchand d'art sous les feux des projecteurs depuis l'histoire des mystérieuses

vierges de Barhofk ! De quoi retenir l'attention...) Un autre fichier, nommé rubis.location.
kmz, résista à toute lecture. On imprima le premier fichier, une lettre destinée à Sharkey et qui
commençait ainsi :

J'ai enfin pu reconstituer la vérité sur notre famille.
La triste histoire, qui est la nôtre, débuta le 8 juillet
1699...

LA LETTRE

J'ai enfin pu reconstituer la vérité sur notre famille. La triste histoire, qui est la nôtre, débuta le 8 juillet 1699, jour de la naissance de Jean-Baptiste Nuiratte, à Martigues, charmante ville composée de trois quartiers, coincée entre la mer et l'étang de Berre. À cette époque, ses habitants étaient réputés être les meilleurs marins de la côte. Si bien que le père de Jean-Baptiste, comme la plupart de ses camarades, fut requis par la marine de Louis XIV et mourut en mer lors de la bataille de Málaga en 1704. Sa mère, qui n'avait qu'un seul enfant, l'éleva seule.

En 1709, un hiver rigoureux s'abattit sur la région. L'étang de Berre gela sur toute sa superficie. La mère de Jean-Baptiste, contrainte de travailler dans les champs même par grand froid, mourut.

Ainsi, à l'âge de dix ans, le jeune Nuiratte devint-il orphelin. Il vivota quelque temps dans les rues de Martigues puis tenta sa chance à la grande ville : Marseille.

Les dix années suivantes se passèrent dans les bas

quartiers de la cité phocéenne. *Vaurien parmi les vau-*
riens, Jean-Baptiste survécut grâce à des rapines, des
larcins et parfois même grâce à la charité chrétienne.

Le 25 mai 1720, le Grand-Saint-Antoine, *un*
navire provenant du Moyen-Orient, accosta à
Marseille. À son bord, de riches étoffes, dans lesquelles
logeaient des puces porteuses de la peste. Toute mar-
chandise devait rester en quarantaine à l'île de Jarre
ou à l'archipel du Frioul. Mais la valeur marchande
des tissus étant très importante, des trafiquants sou-
doyèrent les gardes. Ils sortirent du dépôt les précieux
tapis syriens. Infestés.

Le 20 juin 1720, Marie Dauplan, la femme d'un
des contrebandiers, mourut à son domicile, rue Belle-
Table, dans un des vieux quartiers de la ville où Jean-
Baptiste traînait ses guêtres. Les médecins tardèrent à
diagnostiquer la maladie. Il était de toute façon trop
tard. L'épidémie se propageait à toute vitesse.

Les échevins se refusèrent trop longtemps à admettre
la réalité de l'épidémie. Fermer la ville aurait de
lourdes conséquences financières, aussi privilégièrent-
ils l'hypothèse d'une contagion locale limitée aux
alentours de la place des Prêcheurs. Terrible erreur :
fin juillet, une centaine de Marseillais mouraient
chaque jour. La ville fut officiellement fermée début
août. Les morts, jusque-là entassés dans des infirme-
ries de quartier, s'amoncelèrent dans les rues.

Les édiles réagirent. Les fameux « corbeaux », des
hommes chargés de la collecte des corps, furent
recrutés, ou plus exactement enrôlés de force.

Ainsi le Destin se souvint-il de Jean-Baptiste Nuiratte.

Les « *corbeaux* » – *du moins les plus chanceux* – *ne survécurent pas plus de quelques jours. On les tirait des prisons ou des bas-fonds de la ville, là où la misère ne donne ni la chance de fuir ni le luxe de refuser.*

Jean-Baptiste fut affecté dans son quartier. Il chargeait les cadavres sur des charrettes, la journée durant. Travail horrible. Les corps déjà noirs étaient ravagés par des bubons sanglants. Impossible, en les manipulant, d'éviter le contact. En ce mois d'août, les fortes chaleurs aggravaient l'odeur, très justement nommée « pestilentielle ». Même les mouches semblaient plus lourdes, plus grasses, gavées de chair putride.

Jean-Baptiste se résigna. Au bout de quelques jours, il fut pris de nausées. Il vomit une bile grisâtre et crut sa dernière heure arrivée. Il se souvint de ses parents, revit en esprit ses dix dernières lamentables années, et pensa être heureux de les retrouver. Curieusement, après quelques journées de fortes fièvres, il se trouva mieux et reprit son travail. Il était immunisé.

En une semaine, il vit mourir ses camarades d'infortune. Les charrettes étaient conduites dans de grands champs, aux alentours de la ville. D'énormes fosses communes avaient été creusées et les corps y étaient jetés pêle-mêle, sans distinction de sexe ni de rang. Puis, on versait de la chaux pour hâter la destruction et assainir la terre. L'odeur était insupportable : les hommes chargés de refermer les fosses

*changeaient, se relayaient d'heure en heure afin de
ne pas se trouver mal.*

*Au bout de quelques semaines, le jeune homme
comprit que la peste ne le tuerait pas. Sans doute pour
la première fois de sa vie, il fut reconnaissant envers
Dieu.*

*Marseille comptait à cette époque quatre-vingt-dix
mille habitants. Lors du pic d'épidémie de septembre,
il mourait mille personnes par jour. Autant dire que
les corps s'entassaient à une vitesse prodigieuse et que
les « corbeaux » s'affairaient nuit et jour.*

*Les bourgeois – du moins ceux qui avaient des bas-
tides à la campagne – avaient fui en juillet, lors des
premières alertes. Les autres se cloîtraient dans leur
maison, où ils mouraient de soif ou de faim. Ceux qui
s'aventuraient en quête de nourriture périssaient dans
la journée. La mort était partout. Des corps pendaient
aux fenêtres, personne n'osant les décrocher.*

*Vers la mi-septembre, les chiens affamés enva-
hirent la ville. Les survivants qui pensaient déjà
vivre en enfer vécurent des moments effroyables. Voir
ses enfants mourir en vomissant leur bile noire brisait
le cœur. Jeter leurs corps par la fenêtre pour ne pas
être soi-même infesté détruisait l'âme. Mais voir des
chiens les dévorer…*

*Consigne fut donnée de massacrer les meutes. La
nature, par essence égalitaire, s'en chargea bien
mieux.*

*Rapidement, les rues furent jonchées de cadavres
canins qu'il fallut, comme ceux des humains, sortir de*

la ville et enterrer. Dans les grands trous se mêlèrent alors des hommes, des femmes, des enfants, des vieillards et des chiens.

Triste fin, assurément.

Habitué dès son plus jeune âge à la misère et à la rue, Jean-Baptiste prit un recul salutaire dans l'exécution de ces tâches peu ragoûtantes – c'est le moins qu'on puisse dire. Ses nerfs craquèrent le jour où il reçut l'ordre de rouvrir d'anciennes fosses pour récupérer la chaux. En effet, la ville étant fermée, le précieux produit manquait.

Il fut à jamais transformé par ce qu'il avait dû voir. La mémoire de l'homme est plastique, mais certaines images y restent gravées. S'imprima pour toujours celle des millions de petits vers blancs se faufilant au travers des cadavres humains et animaux à moitié décomposés, mêlés de terre et de chaux. Il vomit plusieurs fois. Tout cela avait-il encore un sens ? Quand était-il mort et avait-il basculé en enfer ?

Ce monde-là n'était plus vivable. Il avait trop enduré. Jean-Baptiste déserta son poste. Il erra dans les rues vides.

Quelque chose s'était définitivement éteint en lui.

Il entendit alors les gémissements d'une femme. Une maison bourgeoise. Il y entra. La dame agonisait à côté d'un corps déjà charbonné. Impuissant, il la regarda mourir. Soudain, de manière impulsive, il arracha son collier. Il fouilla les chambres. Repartit avec une poignée de pièces d'argent. Surpris de ce

rapide butin, conforté par le peu de remords qu'il
éprouvait d'avoir volé une morte abandonnée dans
une ville abandonnée, il bascula. Il pilla. Il vola. Il fit
main basse sur une quantité incroyable de bijoux
laissés dans des maisons ouvertes à tout venant. Par-
fois, il prenait le temps d'attendre sur une chaise, à
guetter les derniers râles d'une agonisante puis s'empa-
rait d'un bracelet ou d'un collier. Immortel. Il se sen-
tait immortel, invulnérable, dieu parmi des humains.
Rue après rue, il écuma les maisons des quartiers
riches. Encouragé par le succès facile et l'impunité, il
perdit tout sens commun. Ses rapines devinrent de plus
en plus violentes : ne se contentant plus d'attendre que
la maladie triomphât, il hâta les choses. Rue Paradis,
il assassina un couple de vieillards barricadés chez
eux. Rue Saint-Ferréol, il découvrit une jeune fille
enfermée chez elle. Il força la porte, la viola, la tua et
déroba quelques sous.

Le pire fut commis fin septembre. Un matin. Dans
une maison de deux étages, Jean-Baptiste débusqua
une jeune femme enceinte mourante qui le suppliait de
l'aider. Elle parlait une étrangère et incompréhensible
langue. Sans lui répondre, il la plaqua contre un fau-
teuil, lui arracha ses jupons et la força tandis qu'elle
crachait un sang noir.

Quand elle cessa de hurler, il sut qu'elle était morte.
Il continua encore quelques minutes sa besogne sur le
cadavre.

Une fois satisfait, il lui vola un collier enrichi d'un
énorme rubis. D'une bûche, il fracassa la tête de sa

victime. Ce qu'on appellerait plus tard un acte gratuit ; une façon de se sentir invincible.

Ainsi se damna Jean-Baptiste Nuiratte.
Il viola et vola jusqu'à s'en abrutir.

À partir d'octobre, l'épidémie ralentit. Il n'y eut plus qu'une vingtaine de morts par jour. L'espoir fut de nouveau permis. Fort d'un joli pécule, Jean-Baptiste songeait à l'avenir. Il revint place du Champ-Major dans une grande maison bourgeoise dont il avait sorti les corps de toute une famille. Il y récupéra des papiers, des preuves d'identité, des titres de propriétés et quelques actes notariés. Il devint Joseph Bertrand, un garçon de la vingtaine, comme lui. Il était temps d'envisager une seconde vie plus prospère.

Avec la fin de l'épidémie, certes, le futur devenait souriant.

Mais, l'ancien « corbeau » n'était plus immortel. Son impunité cessait. Les choses rentraient dans l'ordre. Il ne pourrait plus se servir à sa guise en femmes et en bijoux. Par prudence ou par nostalgie, il décida de garder un peu de son pouvoir : il conserva des restes contaminés dans des bocaux de verre. Le temps venu, il pourrait relancer le fléau. Il redeviendrait un dieu. Ou Dieu.

Sous le nom de Joseph Bertrand, voici Jean-Baptiste à Aix début décembre. Un nouvel homme entre en action, délaissant son passé. Passons donc au présent.

Loin de Marseille, le nouveau venu commence la vie discrète d'un honnête bourgeois. Il lui faut éviter ses anciennes connaissances afin de ne pas être démasqué. Il lui faut également se méfier de tous ceux qui connurent le vrai Joseph Bertrand, avec lequel il ne présente aucune ressemblance.

Dans son mas (car il achète un mas, comme il convient), l'aspirant notable évite toute ostentation. Faire profil bas.

Ne pas éveiller trop de curiosité. Il faut du temps pour se créer une identité.

Joseph se trouve bien seul dans une société dont il ignore les usages et les codes. Il apprend à lire. Mais les livres l'ennuient. Alors, il monte à cheval et visite ses propriétés. Il s'en va aussi trouver un maître d'armes. Cela peut toujours servir.

Non, décidément, la villégiature d'Aix ne confère rien du sentiment de puissance qui, dans une autre vie, possédait Jean-Baptiste. Les promenades de Joseph n'ont pas le piquant de la vie au hasard des rues.

Un ressort s'est cassé. Joseph Bertrand s'ennuie.

Un jour, enfin, vient une invitation, obtenue au terme d'habiles intrigues. Le marquis de Vauvenargues le convie à une fête. Très indirectement, certes, et sans doute par inadvertance.

Adossé à une balustrade, Joseph observe sur le dal-

*lage de la terrasse l'évaporation d'une flaque d'eau
de la taille d'un écu. La forme, d'abord circulaire, se
défait de façon dissymétrique. Il y voit un petit
canard, puis un escargot.*

*Prendre le temps d'observer l'eau s'évaporer, tout
en ayant le ventre plein, est un luxe qu'il peut désormais se permettre. Par ailleurs, les commensaux
l'ennuient : toujours à se plaindre qui de ses faibles
revenus, qui des taxes, qui des fermages, qui de ses
ambitions insatisfaites.*

S'ils savaient leur chance…

*Une voix féminine le tire de sa rêverie. Il se
retourne :*

*« Qu'observez-vous donc avec tant d'intérêt, mon-
sieur ? »*

*Une ravissante jeune fille rousse dans une robe
d'un velours bleu éclatant s'est approchée.*

*« J'observe, mademoiselle, la forme que prend cette
tache au fur et à mesure que l'eau s'évapore.*

— Quelle idée !

*— Je l'avoue. Mais approchez, voyez, dit-il en
prenant sa main gantée. Ne dirait-on un escargot ? »*

La jeune fille s'esclaffe.

*« Excusez mon impertinence, monsieur. Votre
escargot m'a tout l'air d'un serpent.*

*— À l'instant, je vous l'assure, on pouvait encore
voir ici la forme d'une coquille. »*

Il s'incline :

*« Joseph Bertrand, sieur de Bibemus, pour vous
servir. »*

La jeune fille semblait être d'assez bon lignage.

« *Je ne pense pas, M. Bertrand, vous avoir déjà vu chez M. de Vauvenargues ?*

— *J'ai dû quitter Marseille après le triste épisode que vous savez, mademoiselle. Les souvenirs du malheur surabondaient.*

— *Avez-vous perdu quelqu'un de cher ?*

— *Vous excuserez, je vous prie, mon trouble, mademoiselle. Tant d'êtres chers dont le tourment, la nuit, me hante encore. J'aurais tant donné pour ne pas voir ce que j'ai vu. Et je remercie Dieu chaque jour d'avoir épargné ma vie.* »

Il s'assied sur le petit banc de pierre posé au bout du balcon, face à la cour. La jeune femme se met à son côté. Lui parle doucement de la vie qui doit reprendre. Il sent contre lui sa chaleur. Une jolie femme, vraiment. Il la désire.

Nouvelle étape.

Le jeune homme se débrouille pour savoir qui est la belle rousse. Un excellent parti : Élisabeth de Mauxpetit, fille du comte de Mauxpetit, noblesse de robe, nombreux bénéfices.

Lui-même, tout Joseph Bertrand qu'il soit, est un gendre convenable : bonne bourgeoisie marseillaise, unique héritier d'une famille éteinte – et riche de son inavouable butin, amassé deux mois durant. La meilleure des savonnettes à vilain. Sans traîner, le 18 mars 1722, Joseph demande la main de Mlle de Mauxpetit.

Le comble, c'est qu'il en est véritablement épris. Elle

représente pour lui la beauté, la stabilité, la compagne qui va l'initier à une vie nouvelle – lui qui a si longtemps croupi dans la misère.

Le jeune homme a le bon goût de se montrer plein de tact pour la dot. Pas de ça entre nous, n'est-ce pas ? Le mariage est fixé au 19 mai. Les préparatifs occupent joyeusement tout le monde.

Le problème, c'est Marie. Une cousine d'Élisabeth.

Cela fait un moment qu'elle fait savoir son impatience. Elle veut rencontrer enfin le fiancé de sa chère cousine. Impatiente. Très impatiente.

Et pour cause.

Marie de Gouffé et Joseph Bertrand – le vrai – ont été amants. Durant toute l'année 1719. Ils se fréquentaient dans une petite maison, proche de l'église Saint-Ferréol. Elle avait quitté Marseille aux premières heures de la peste et avait depuis perdu la trace de celui qu'elle aimait. À son retour, en novembre 1720, Joseph avait disparu, comme tant d'autres. Elle avait été très surprise d'apprendre, par l'oncle Mauxpetit, qu'il était toujours vivant et qu'il épouserait Élisabeth. Elle voulait le revoir, prise entre la joie des retrouvailles et la tristesse de le perdre une seconde fois.

Marie descend de la voiture et rectifie son grand chapeau. Sa toilette est parfaite. Dans la cour, Élisabeth l'attend, accompagnée d'un jeune homme.

Élisabeth s'élance.

« *Que je suis heureuse de vous voir, ma chère cousine !* »

Puis elle se tourne vers le jeune homme.

« *Joseph, je vous présente Marie, la plus délicieuse jeune fille de tout Marseille. Et voici, chère Marie, Joseph, mon fiancé, le plus tendre des hommes.* »

Marie fixe les yeux de cet inconnu. Joseph Bertrand était bien plus grand. Il portait une moustache à la façon du tsar Pierre, s'étant entiché d'avoir les allures du Nord. Ses traits n'étaient pas aussi grossiers. Elle ne laisse pourtant rien paraître de sa surprise.

« *Vous me voyez enchantée, monsieur. Puisse le ciel bénir votre union.* »

Au cours de la soirée, les deux jeunes gens se retrouvent seuls un instant.

« *Est-il vrai, monsieur, que vous habitiez Marseille avant la peste ?*

— *Toute ma famille vivait place du Champ-Major. Connaissez-vous cet endroit ?*

— *Certes oui, monsieur. Je m'y suis maintes fois rendue. Je fus fiancée à Joseph Bertrand en 1719.* »

Jean-Baptiste dévisage la jeune femme en silence.

« *Le véritable Joseph Bertrand.* »

Jean-Baptiste regarde furtivement aux alentours. Non, personne ne les écoute. Il répond très sourdement :

« *Si vous étiez restée à Marseille, mademoiselle, vous auriez su l'horreur que nous avons vécue là-bas et vous seriez moins sévère. Oui, Joseph est mort, entre mes bras. C'était un ami. Tels Oreste et Pylade nous étions inséparables. Il m'a fait jurer de reprendre son nom et ses biens.*

— *Mais pas sa fiancée ?* »

Marie sonde Jean-Baptiste de ses grands yeux noirs. Manifestement, peu lui chaut l'amitié fraternelle. Ni Oreste ni Pylade ne l'intéressent. Elle a un projet.

« *Pourtant, quel meilleur moyen pour Oreste que de survivre en Pylade s'il lui donne pour épouse celle qu'il aimait ?* »

Et encore plus bas :

« *Il se dit à Marseille que la peste n'a pas ruiné tout le monde...* »

Jean-Baptiste devient livide, serre les dents.

« *Vous êtes un imposteur, monsieur. Jamais Joseph n'aurait eu d'ami aussi rustre que vous l'êtes.* »

Jean-Baptiste se passe les deux mains sur le visage. Ainsi donc, cette demoiselle lui gâcherait la vie ? Après tant de souffrances, ne mérite-t-il pas, lui aussi, son lot de bonheur ? Il soupire :

« *Que comptez-vous faire ?* »

La jeune femme fait la moue. Regarde en direction du parc, puis se tourne de nouveau vers le jeune homme.

« *Épousez ma sotte cousine, ce sera déjà un châtiment ! Je me moque bien d'Élisabeth. Je ne puis admettre toutefois qu'un prétendu Joseph Bertrand profane par sa seule existence visible le sanctuaire de ma mémoire où repose mon très cher, très beau et tant aimé Joseph.*

— *Je ferai honneur à ce nom.*

— *Vous viendrez vendredi prochain me visiter, chez moi, rue Paradis. Apportez-moi mille livres. Sinon, vous serez renvoyé rue d'Enfer. Le prix de ma confiance. Pour quelque temps…* »

La jeune femme est d'une grande beauté. Intelligente, certainement, donc dangereuse.

« *J'y serai, comptez sur moi. Pour l'amour d'Élisabeth.*

— *Chantez-moi d'autres chansons* », *murmure Marie en lui tournant le dos.*

Joseph Bertrand ne veut plus voir reparaître Jean-Baptiste Nuiratte. Il refuse de vivre ainsi dans la crainte, à la merci de la cousine Marie. Le fripon des rues et le vide-gousset resurgissent d'un coup. Bien traiter un problème c'est l'éliminer, sans transiger. Discrètement, bien sûr.

Joseph cède à Jean-Baptiste le soin d'ouvrir l'un des bocaux infestés. Jean-Baptiste verse son infâme contenu dans une boîte remplie de pièces. Il remue pour que tout soit contaminé. Il referme la boîte jusqu'au vendredi.

Joseph poursuit sa cour auprès d'Élisabeth.

Dans son boudoir, confortablement installée dans son fauteuil, Marie ne se lève pas pour accueillir son hôte. Elle prend tout de suite la boîte qu'il lui tend et l'ouvre avec gourmandise. Elle estime tenir pour long-

temps cet idiot dans ses rets. Elle prend une pleine poignée de pièces.

Grimace soudain :

« Quelle odeur infecte ! »

Elle tousse.

« Pour une fois, l'argent a une odeur, mademoiselle. Faisant peu confiance aux banques, je le cache là où personne n'aurait envie de le chercher.

— Quelle brute vous faites ! Pour les prochaines livraisons, j'exige que les pièces soient propres.

— Les autres livraisons ?

— Il me faudra cinq cents livres tous les mois. »

Jean-Baptiste sourit. Marie prend cela pour de l'amère ironie. En fait, il triomphe. Il sait que la maladie commencera dans quelques heures. Sans le savoir, Jean-Baptiste a mis en bocal une forme extrêmement contagieuse : la peste pneumonique qui permet au bacille de pénétrer l'organisme par les poumons. Bien plus efficace qu'une contagion par piqûre cutanée.

« Revenez me voir le mois prochain, mon cher Joseph. »

À peine de retour à Aix, Joseph Bertrand apprend de son valet qu'Élisabeth vient de partir pour Marseille, invitée par Marie. Leurs voitures ont dû se croiser sur la route. Il veut tout de suite empêcher la rencontre, le moindre contact. Mais il est très tard, les chevaux sont fatigués et le cocher cuve dans la cuisine. Il arrive rue Paradis en milieu de matinée.

Depuis la rue, il entend des cris. Il entre et voit sa fiancée en pleurs, accroupie auprès du lit de sa cousine. Il se précipite vers elle pour l'éloigner du corps pestiféré.

« *Que faites-vous là ?*

— *Marie ! Elle est très malade. Elle respire avec difficulté et ne parle déjà plus !*

— *Ne restez pas là ! Ces humeurs sont sans doute contagieuses. Qu'a dit le médecin ?*

— *Il doit arriver d'une minute à l'autre.* »

Jean-Baptiste regarde sous l'aisselle de Marie. Nul besoin d'avis médical. Il a suffisamment vu de bubons pour comprendre que son stratagème a fonctionné.

« *C'est la peste, Élisabeth, fuyez !* »

Les médecins arrivent en fin de matinée. Ils confirment le diagnostic de Jean-Baptiste.

Le mal s'abat de nouveau sur la ville. Cette fois, la réaction des édiles est rapide : ils brûlent la maison de Marie et l'isolent en quarantaine. Elle mourra deux jours plus tard, sans avoir repris conscience, d'un œdème pulmonaire.

Jean-Baptiste est arrivé trop tard. Dans son désarroi, Élisabeth a étreint plusieurs fois le corps malade de sa cousine.

De retour à Aix, elle se plaint de maux de tête. Bientôt viennent les vomissements.

Joseph Bertrand reste avec sa fiancée toute la nuit. Revoici la maladie, dont il connaît trop bien la progression et qu'il suit en expert. Les nausées, la fièvre, l'immense fatigue, les ganglions qui gonflent, les bubons qui apparaissent, puis les difficultés respiratoires. Agenouillé auprès du lit, il pleure, il implore. Déjà presque inconsciente, Élisabeth ne le comprend, ni ne l'entend. Elle délire. Mais lui, il sait. En se débarrassant de la détestable cousine, il a tué sa future femme, son seul espoir, sa raison de vivre.

Deux jours plus tard, tout est fini.

Joseph Bertrand, désespéré, erre dans le grand salon. Un notaire, un huissier à verge et deux gardes l'y rejoignent. Il s'agit d'une lettre de Marie, rédigée la veille de la visite à Marseille. Elle avait pris ses précautions, redoutant la violence de l'imposteur. « À ouvrir publiquement juste après ma mort, en présence du nommé Joseph Bertrand. »

En un éclair, Joseph Bertrand redevient Jean-Baptiste. Pas besoin d'ouvrir l'enveloppe, ni de lire ce qu'elle contient. Il sait que Marie dénonce l'usurpation d'identité. Il bondit.

Il est déjà dehors.

Surpris, le notaire ne pense pas tout de suite à lire la lettre. Et les gardes ne songent pas à poursuivre l'étrange M. Bertrand.

Le fuyard se rend jusqu'à un village du Luberon. Avec les pièces qu'il garde toujours cousues dans son habit, Jean-Baptiste loue un coin de grange pour passer l'hiver. Autant se cacher, se faire oublier, utiliser le reste plus tard.

Malheureusement, décembre est rigoureux. Jean-

Baptiste – trop las pour faire effort – meurt d'une pneumonie en janvier 1723. L'homme que la peste ne pouvait atteindre, l'égal de Dieu, disparaît à cause d'un mauvais rhume.

On le retrouvera quelques jours plus tard, le corps bleui par le froid. Sa main gauche serre un collier : un ruban de cuir orné d'un énorme rubis…

LE MILDIOU

Dans l'immédiat, cette lettre ne laissait rien deviner des intentions de l'Arnaqueur. Elle confirmait son obsession pour les histoires de vol et de fausses identités. Jean-Baptiste Nuiratte, comme les époux prétendument héroïques des veuves, et comme maintenant les cyber-usurpateurs des réseaux avaient en commun de profiter sans scrupule de toutes sortes de pestes pour piller autrui.

Faute de pouvoir « craquer » la protection de rubis.location.kmz – y avait-il un rapport avec le rubis de Jean-Baptiste Nuiratte ? –, il restait au moins cette mention sur l'enveloppe : « *Pour le rendez-vous Sharkey du 3 décembre à Liège.* »

Les enquêteurs s'y rendirent et n'eurent guère de mal à retrouver la trace de Sharkey dans un somptueux hôtel, quai Saint-Léonard. Le marchand, qui n'avait aucune envie d'avoir des ennuis avec la justice, répondit à leurs questions avec méfiance.

« Je ne connais pas vraiment cet homme... Il m'a été recommandé pour une affaire stricte-ment personnelle. »

Après avoir fait fortune en identifiant une vierge de Barhofk grâce au syndrome de Sheridan, le seul objectif du marchand d'art était de poursuivre sereinement la quête du rubis fami-lial – ce rubis plus gros que le fameux « Delong Star Ruby » du muséum d'Histoire naturelle de New York. Aussi décida-t-il de coopérer honnê-tement. Installé dans un salon du bar de l'hôtel, il commanda une bouteille de champagne, en offrit aux policiers et leur raconta ce qu'il savait.

« C'est toute une histoire. Vous n'ignorez pas que je suis d'origine irlandaise. Vous n'ignorez pas non plus la maladie de la pomme de terre – ce maudit mildiou ! – qui suscita la grande famine d'Irlande peu après l'an 1845. Mes ancêtres émi-grèrent alors en Australie. C'était la fin d'une dynastie : les Sharkey étaient, au XVIIIe siècle, de riches marchands. Ils armaient des navires arrivés des Indes, négociaient des étoffes et des épices en Europe du Sud... Malheureusement, quand la peste décima la ville de Marseille, Lonàn Sharkey et son épouse, alors enceinte, se trouvaient là-bas, en pleine négociation commerciale. Ils furent emportés par la maladie. Leur commerce péri-clita, d'autant plus que la crise financière initiée par John Law emporta leur capital. Peut-être ne mentionne-t-on pas suffisamment John Law dans les manuels d'Histoire. Pourtant, cette crise a pesé lourd et gagnerait d'être réétudiée, car la vie est un éternel recommencement.

— Venez-en au fait, je vous prie, coupa le policier avec une certaine aigreur.

— La famille se souda autour d'un oncle et vécut quelques années des beaux restes de sa fortune. Un jour, un Français se présenta, porteur d'un collier de rubis, qui était pour ainsi dire le Graal de notre famille. Il prétendait être le fils de Lonàn et de sa femme, et affirmait tenir le bijou de sa mère. Surprise générale. Mes ancêtres au tempérament bouillant se méfièrent du nouveau venu : en vingt ans, ils commençaient tout juste à prospérer grâce à de beaux domaines agricoles dans lesquels ils s'étaient reconvertis. L'oncle, qui redoutait d'avoir à partager, poignarda l'intrus et garda le bijou.

— Dites donc, ils ne rigolaient pas chez vous...

— Le meurtre fut dissimulé aux autorités, d'autant plus facilement que le Français semblait n'avoir aucune attache. Toutefois, la famille se divisa. Certains reprochèrent à l'oncle de n'avoir pas laissé au Français le temps de s'expliquer. D'autres crièrent à l'imposture. Deux clans se formèrent. On se disputa les terres. Au bout de deux générations, l'empire Sharkey ne fut plus qu'un souvenir. La crise du mildiou fit le reste, chassant la famille aux quatre coins du monde.

— Quel est le lien avec l'Arnaqueur ?

— L'"Arnaqueur", ainsi que vous l'appelez, est un fin limier. Comme vous le savez, il s'est spécialisé dans l'usurpation de droits. Il traque les faussaires et autres voleurs d'identité. J'ai fait appel à lui pour découvrir la véritable identité de ce Français et comprendre d'où venait ce bijou sur lequel l'oncle avait fait main basse et que personne n'a retrouvé. Remettre la main dessus serait un joli coup. Il a fixé ce rendez-vous il y a quelques semaines. Il était sur une piste sérieuse. Il m'avait parlé d'une lettre retrouvée aux archives municipales de Menton. Je n'en sais pas plus. Il ne voulait rien me dire avant que je lui règle son dû. C'est de bonne guerre. Pour tout vous dire, j'avais imaginé partager ce verre avec lui aujourd'hui, plutôt qu'avec vous. »

À cet instant, un homme surgit de nulle part, photographia le petit groupe et détala.

Le policier jura de manière effroyable. Puis se tourna vers Sharkey :

« Demain, vous aurez droit à votre portrait dans le canard… »

RETOUR À PUSSEMANGE

Mon père fit une pause. Il se cala dans son fauteuil et conclut ainsi son aventure des vierges de Barhofk. Le conseiller municipal belge et ses amis ventripotents le regardaient bouche bée, tout à fait dessoûlés.

« J'ai lu dans les journaux que Sharkey était à Liège en ce moment. Vous verrez sa photo dans le journal de ce matin. Voilà pourquoi j'ai tout de suite pensé aux vierges de Barhofk. J'ai cru que cette... cette hôtesse en portait une à son collier. »

Il but une gorgée de sa bière désormais tiède. Le notable belge but à son tour et s'empara de la parole gravement.

« Vraiment, je ne la connaissais pas, l'histoire de ta vierge... »

Mon père secoua la tête.

« Avec tout ça, je vous ai dérangés. Elle avait l'air de bien s'occuper de toi, la petite. Mais quand j'ai vu la médaille, j'ai perdu mon sang-froid...

— À seize millions la breloque, faut pas t'excuser, mon gars ! »

Rires gras.

« Putain, seize millions ! Ç'aurait été mieux qu'une gâterie. Tu as bien fait de tenter ta chance ! »

Mon père lui tapa doucement sur l'épaule.

« Non, je crois que j'ai cassé l'ambiance. Je vais me rentrer. »

Il désigna d'un doigt les bouteilles de bière et dit :

« C'est pour moi.

— Pas de problème. À demain, mon vieux... »

Le père récupéra sa veste, régla les consommations et sortit du bar...

À travers la vitre du vestiaire, je le vis s'éloigner dans la rue sombre. Il monta dans sa grosse berline et démarra. Mon héros.

Je pleurai beaucoup dans mon lit cette nuit-là.

J'aurais voulu le remercier, mais j'avais peur. Je craignais un ouragan, une tempête. Comment lui, un homme respecté, supporterait-il que sa fille s'abaissât à faire le tapin (soyons francs) dans un bar ? S'il n'avait pas détourné l'attention de ce gros pervers, que serait-il arrivé ?

On sonna à ma porte le lendemain matin. J'ouvris à mon père, en pyjama, épuisée, terrifiée.

Il avait fait un détour en allant au bureau et avait son habituel air impavide. Une large paire d'épaules dans un costume sombre. Un bloc. Un frisson me parcourut l'échine.

«Il faut qu'on parle.

— Oui, papa.

— Tu as du café?

— Oui, papa.»

Je m'affairai autour de la cafetière.

«Je ne vais pas revenir sur la soirée d'hier...»

Je levai timidement la tête au-dessus du paquet de café.

«... C'est ma faute. Je vais désormais te verser neuf cents francs par mois. Cela devrait être largement suffisant pour payer ton loyer, ta nourriture et quelques sorties. Tu n'auras plus besoin d'aller... gagner de l'argent ailleurs.»

Des larmes coulèrent sur mes joues. Moi qui m'attendais à de sévères reproches! Il avait tout compris, il me pardonnait. Je m'assis sur une chaise, ne contrôlant plus mes sanglots. Mon père se leva. Il apposa sa puissante main droite sur mon épaule gauche, me fit un baiser appuyé sur la chevelure et s'en alla. Honteuse et reconnaissante, je ne le retins pas.

Il n'avait même pas bu son café, que je n'avais pas fini de préparer.

Quel beau geste il fit ce jour-là...

Malheureusement, je ne suis pas comme mon père. Je n'ai pas cette faculté de décision dans les situations d'urgence.

Je n'ai pas non plus de charité chrétienne, comme le prouvent ces raviolis ridicules. Et le meurtre de mon mari que j'avais longuement ourdi. La vengeance est un plat qui se mange froid, dit-on. Je préfère que ce soit un plat bien chaud...

LE DESTIN

C'est indéniable : l'histoire de ce plat de raviolis faisait partie du Grand Tout : son destin était
scellé depuis quatre milliards et demi d'années.
Pourtant, à cette époque, la planète Terre était
encore toute jeune.

Pas de rats-taupes, pas de raviolis, pas d'Olym-
piens ni d'Olympique de Marseille, pas même de
Lune.

Il a fallu attendre quelque vingt millions
d'années pour qu'une spectaculaire collision avec
l'objet céleste Théia donnât naissance à notre
satellite. Puis encore quatre milliards et demi
d'années pour que les premiers *Homo sapiens*
s'aventurent sur ce point du globe que l'on
nomme désormais Maubeuge, s'y émeuvent d'un
clair de lune, se reproduisent frénétiquement et
créent toutes ces vicissitudes maintenant concen-
trées en un dilemme dont Corneille n'aurait pas
même conçu la possibilité – puisqu'il ignorait
tout des raviolis.

Oui. Voilà quatre milliards et demi d'années, à quelques encablures-lumière de là, au fond à droite de l'Univers, deux objets célestes se percutèrent dans le silence indifférent du début de la création. De ce choc jaillirent des centaines de petites météorites qui furent projetées dans toutes les directions du vaste espace. Pendant quatre milliards et demi d'années, un petit objet extrasolaire continua sa route uniformément rectiligne, sans que la monotonie du chemin ne diminue sa ferme résolution. Chose extraordinaire, dans ce vaste univers rempli d'un nombre infini de galaxies, d'astres, de planètes et de satellites, aucun de ces objets ne vint croiser la route de notre météorite. Comme si Dieu lui-même avait ouvert le chemin à ce bolide, comme il fit plus tard avec Moïse et la mer Rouge. Lentement et sûrement, la météorite avait la Terre en ligne de mire, faisant fi de l'évolution qui transformait les paysages, façonnait les civilisations et nous rapprochait de plus en plus du plat empoisonné.

Cette boule de pierre et de fer portait en elle la lamentable solution de ma colère pourtant justifiée à l'égard d'un mari infidèle. Une solution endormie au cœur de tous les possibles pendant des milliards d'années. Un destin.

Quand César franchit le Rubicon, loin de lui l'idée qu'un objet céleste avait déjà fait quatre-vingt-dix-neuf pour cent de son trajet et s'avançait inexorablement vers son point de chute.

Quand Jeanne la Pucelle fut brûlée, son ignorance des choses de l'Univers empêcha que ses dernières pensées n'aillent vers cette météorite.

Quand Napoléon fixant le ciel et le paysage alentour lança son fameux « Du haut de ces pyramides, quarante siècles vous contemplent », il n'imaginait pas qu'une force du destin était à l'œuvre, bien plus ancienne, bien plus puissante que sa propre ascension fulgurante, que sa propre révolution et que sa propre chute.

Mais voilà, le plat de raviolis empoisonnés – plat cuisiné de la Vengeance – trône au centre de la table ronde en formica...

VITE.

Je dois trouver une solution. Je dispose peut-être de deux minutes avant que mon stupide mari porte à table cette casserole, qu'il tient fermement par le manche ; moins de deux minutes maintenant avant qu'il serve le petit Théo qui nous regarde avec son sourire plein de reconnaissance. Tuer un homme est déjà une tâche difficile. Laisser tuer un enfant innocent est insurmontable.

Horreur. Mon mari a servi Théo. Il remplit mon assiette. Je vois l'enfant de dos. Bien éduqué, il attend que tout le monde soit servi avant de commencer à manger.

Un bruit assourdissant m'arrache à ma torpeur.

Dans un tumulte de fumée, de lumière et d'odeur de brûlé, quelque chose troue la toiture, perce le plafond, explose le plat de raviolis, s'encastre dans le sol en béton et termine sa course. En une fraction de seconde. Nous restons silencieux une minute, voire davantage.

Mon mari se lève doucement, écarte le petit Théo de la table.

« Putain ! C'était quoi ça ? »

Au plafond, j'aperçois un trou d'une dizaine de centimètres de large. Un bout de nuage s'invite par le toit, comme un spectateur curieux. Au sol se trouve un caillou d'à peine trois ou quatre centimètres de diamètre.

« J'y crois pas ! hurle ce pauvre type dont j'ai fait mon mari. C'est une météorite. Une météorite est tombée chez nous ! Tu te rends compte, c'est dingue ! »

Le petit Théo nous regarde toujours avec de grands yeux étonnés. Pour du spectacle, c'est du spectacle.

« Je vais appeler les pompiers », dis-je en me précipitant vers le téléphone.

La surprise est telle que je mets quelques minutes à comprendre le bénéfice de cette météorite. Théo ne mourra pas. C'est le signe divin, le *deus ex machina* que j'attendais et que Corneille, il est vrai, a plus d'une fois utilisé : l'issue miraculeuse qui va me sortir du dilemme consubstantiel aux raviolis.

Les pompiers viennent rapidement. Avec leur ruban plastifié, ils délimitent une zone autour des débris de la table, prennent des photos, nous interrogent. Puis ce sont des experts qui surgissent de nulle part.

D'après eux, il s'agit d'une chondrite, composée d'un mélange de silicates, de fer et de nickel. Une chondrite vieille comme l'Univers.

Un jeune pompier laisse Théo jouer avec son casque argenté. Je fais un café et l'ambiance devient vite joyeuse. Un dernier verre pour la route, un dernier caillou pour l'ambiance. On en a eu de la chance, disons-nous. Marc fait une plaisanterie idiote que personne ne relève. Je sors une boîte de biscuits à thé. Je sers le café dans le service en faïence du mariage. Un des experts nous apprend que certaines météorites se négocient mille euros le gramme. Ce doivent être des cailloux de Barhofk. Marc refait une blague idiote.

Cette fois, on rit tout de même.

La mère de Théo arrive. Elle a vu le camion de pompiers et la voiture de police devant notre porte et a craint le pire. Elle reste quelques secondes interdite en découvrant le spectacle. Au centre de la pièce, une table explosée en trois morceaux, des raviolis étalés un peu partout dans le salon, la sauce tomate mélangée à une infinité de petits morceaux de verre, de bois et de plâtre. À quoi s'ajoutent sept ou huit pompiers, policiers et gars en blouse blanche, une tasse blanche dans la main et un petit biscuit dans l'autre, discutant gaiement comme s'il s'agissait d'un pot de départ à la retraite d'un collègue. Nous la rassurons. Le capitaine des pompiers lui affirme que Théo a eu beaucoup de chance. La météorite de petite taille (l'entrée dans l'atmosphère lui a fait perdre quatre-vingt-dix-neuf pour cent de son volume) a tout de même transpercé la table. À moins d'un mètre de la tête du jeune garçon. Il a vu la mort de très près.

Je pense surtout à l'autre mort imminente à laquelle il vient d'échapper.

« C'est la journée des petits miracles », nous dit la mère de Théo, nous expliquant que l'IRM n'a rien révélé d'anormal pour Enzo.

La voisine, les pompiers, les experts et les policiers s'en vont. On se retrouve seuls et un peu bêtes avec mon mari.

« Quelle histoire, ma chérie, quand je raconterai ça au boulot, ils ne me croiront jamais !

— Oui, pour une histoire, c'est une sacrée histoire.

— Par contre, pour une fois que tu faisais des

raviolis, nous n'avons pas pu y goûter. Pourtant, je suis certain qu'ils étaient à mourir!»

Un soupçon m'effleure. Je l'observe attentivement. Sait-il quelque chose de mon plan diabolique? Suis-je démasquée? A-t-il commandé cette météorite exprès pour échapper à la mort? Non. Sans doute une parole en l'air. Une de ses expressions toutes faites qui m'agacent.

«Oui, c'est bien dommage. Mais il y aura d'autres occasions, mon chéri. Ne t'inquiète pas.

— Si, je m'inquiète pour mon ventre! J'ai faim. Et si on commandait une pizza?

— Volontiers. Je n'ai pas le courage de me remettre à la cuisine.»

La pizza arrive vingt minutes plus tard, livrée par un étudiant pressé et mal habillé.

Fuyant le chantier du salon, nous nous installons sur la petite table rouge de la cuisine.

«Cette pizza est délicieuse. C'est laquelle?

— Une pizza quatre-saisons, ma jolie. Mais j'y ai rajouté un ingrédient mystère…

— Ah oui? Je me disais aussi qu'elle n'avait pas le même goût que d'habitude. C'est quoi, cet ingrédient?»

Un doute affreux me submerge. Je jette un rapide coup d'œil sur le plan de travail.

Fidèle à lui-même, à défaut de l'être à mon égard, il ne prend pas la peine de terminer sa bouchée pour me répondre :

«J'ai rajouté des herbes de Provence. Celles qu'on a achetées ce matin, tu sais, au Marseillais de l'OM. J'ai eu la main un peu lourde car le sachet s'est déchiré par inadvertance.»

Le con!

Voilà que je transpire abondamment.

Et ma vie défile dans mon esprit en quelques secondes.

Le con!

FIN

DU MÊME AUTEUR

DU MÊME AUTEUR

Chez Alma éditeur

LA VARIANTE CHILIENNE, 2015
LA FRACTALE DES RAVIOLIS, 2014 (Folio n° 5990)

Composition IGS-CP à L'Isle-d'Espagnac (16)
Impression Maury Imprimeur
45330 Malesherbes
le 3 août 2015.
Dépôt légal : août 2015.
Numéro d'imprimeur :199543 .

ISBN 978-2-07-046444-9. / Imprimé en France.